#시험대비
#핵심정복

7일 끝
중간고사
기말고사

Chunjae
Makes
Chunjae

▼

저자   최용준, 해법수학연구회
제작   황성진, 조규영

발행일   2021년 3월 15일 초판 2021년 3월 15일 1쇄
발행인   (주)천재교육
주소   서울시 금천구 가산로9길 54
신고번호   제2001-000018호
고객센터   1577-0902
교재 내용문의 (02)3282-8852

7일 끝으로 끝내자!

중학 수학 2-1

BOOK 1
중 간 고 사 대 비

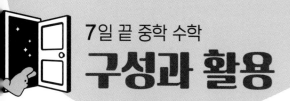

7일 끝 중학 수학
구성과 활용

시험 공부 시작

생각 열기

공부할 내용을 만화로 가볍게 살펴보며 학습을 준비해 보세요.

❶ 공부할 내용을 살피며 핵심 학습 요소를 확인해 보세요.

❷ 이것만은 꼭꼭!을 통해 실수하기 쉬운 개념을 짚어 보세요.

본격 공부 중

교과서 **핵심 정리** + 시험지 속 개념 문제

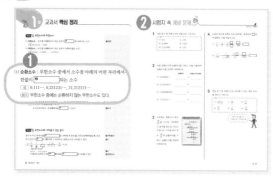

꼭 알아야 할 교과서 핵심 내용을 익히고 시험지 속 개념 문제를 풀며 제대로 이해했는지 확인해 보세요.

❶ 빈칸을 채우며 교과서 핵심 내용을 다시 한번 확인해 보세요.

❷ 교과서 핵심과 관련된 시험지 속 개념 문제를 풀며 공부한 내용을 확인해 보세요.

교과서 **기출 베스트 1회, 2회**

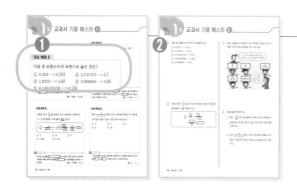

다양한 유형의 문제를 풀어 보며 공부한 내용을 점검해 보세요.

❶ 교과서 기출 베스트 1회에서는 대표 예제 문제를 풀며 시험에 자주 나오는 문제를 확인해 보세요.

❷ 교과서 기출 베스트 1회와 쌍둥이 문제로 구성된 교과서 기출 베스트 2회를 한번 더 풀면서 실력을 다져 보세요.

시험 공부 마무리

누구나 100점 테스트 1회, 2회

앞에서 공부한 개념을 이해
했는지 문제를 풀어 점검해
보세요.

서술형·사고력 테스트

서술형·사고력 문제를 집중
적으로 풀며 서술형·사고력
문제에 대한 적응력을 높여
보세요.

창의·융합·코딩 테스트

앞에서 공부한 개념이 어떻
게 이용되는지 알고 문제 해
결력을 키워 보세요.

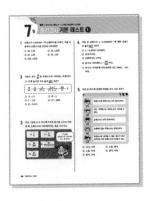

중간고사 기본 테스트 1회, 2회

시험 문제에 가까운 예상 문
제를 풀며 실전에 대비해 보
세요.

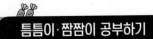

틈틈이·짬짬이 공부하기

핵심 정리 총집합 카드를 휴대
하며 이동하는 중이나 시험 직
전에 활용해 보세요.

차례

유리수와 순환소수

공부할 내용

❶ 유한소수와 무한소수
❷ 순환소수

❸ 순환소수를 분수로 나타내기
❹ 유리수와 소수의 관계

이것만은 꼭꼭!

(1) 무한소수 중에서 소수점 아래의 어떤 자리에서부터 일정한 숫자의 배열이 한없이 되풀이되는 소수를
　　❶ [   ] 라 한다.

(2) 순환소수는 ❷ [   ] 의 양 끝의 숫자 위에 점을 찍어 나타낸다.
　　[예] $0.321321321\cdots = 0.\dot{3}2\dot{1}$

답 ❶ 순환소수 ❷ 순환마디

핵심 1 유한소수와 무한소수

(1) **유한소수** : 소수점 아래에 0이 아닌 숫자가 ❶ [   ] 번 나타나는 소수

　[예] 0.4, 0.75, −2.841

(2) **무한소수** : 소수점 아래에 0이 아닌 숫자가 무한히 많은 소수

　[예] 0.333⋯, 1.2345⋯, −1.272727⋯

❶ 유한

핵심 2 순환소수

(1) **순환소수** : 무한소수 중에서 소수점 아래의 어떤 자리에서부터 일정한 숫자의 배열이

한없이 ❷ [   ] 되는 소수

　[예] 0.111⋯, 0.231231⋯, 21.212121⋯

　[참고] 무한소수 중에는 순환하지 않는 무한소수도 있다.

　　→ 0.101001000⋯, 0.1121231234⋯, $\pi(=3.141592⋯)$

(2) **순환마디** : 순환소수에서 소수점 아래의 숫자의 배열이 되풀이되는 가장 짧은 한 부분

(3) **순환소수의 표현** : ❸ [   ] 의 양 끝의 숫자 위에 점을 찍어 나타낸다.

　[예] ① 0.222⋯의 순환마디는 2 → $0.\dot{2}$

　　　② 0.678678678⋯의 순환마디는 ❹ [   ] → $0.\dot{6}7\dot{8}$

❷ 되풀이

❸ 순환마디

❹ 678

핵심 3 유한소수로 나타낼 수 있는 분수

정수가 아닌 유리수를 ❺ [   ] 로 나타낸 후 분모를 소인수분해하였을 때, 분모

의 소인수가 ❻ [   ] 나 5뿐이면 그 유리수는 유한소수로 나타낼 수 있다.

　[예] $\dfrac{21}{60}=\dfrac{7}{20}=\dfrac{7}{2^2\times 5}=\dfrac{7\times 5}{2^2\times 5\times 5}=\dfrac{35}{100}=0.35$

　　기약분수로　분모를
　　나타내기　소인수분해하기

　　→ 분모의 소인수가 2와 ❼ [   ] 뿐이므로 ❽ [   ] 로 나타낼 수 있다.

❺ 기약분수

❻ 2

❼ 5

❽ 유한소수

시험지 속 개념 문제

정답과 풀이 **74쪽**

1 다음 보기 중 무한소수인 것을 모두 고르시오.

> ┤ 보기 ├
> ㉠ 0.9　　　　　　　　㉡ 3.2̇3̇
> ㉢ 0.1986　　　　　　㉣ 725.8
> ㉤ 3.141592⋯　　　　㉥ 3.33

2 다음 순환소수의 순환마디를 구하고, 이를 이용하여 순환소수를 간단히 나타내시오.

　　　　　　　　　　　　순환마디　　　순환소수의 표현

(1) 0.535353⋯　　　➡　─────　─────

(2) 2.1232323⋯　　➡　─────　─────

(3) 3.495495495⋯　➡　─────　─────

(4) 1.212121⋯　　　➡　─────　─────

3 오른쪽은 정훈이가 분수 $\dfrac{26}{33}$을 소수로 나타내려고 분자를 분모로 나누는 과정이다. 이것을 보고 분수 $\dfrac{26}{33}$의 순환마디를 구하고, 순환소수를 간단히 나타내시오.

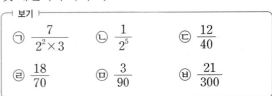

4 다음은 분수를 유한소수로 나타내는 과정이다. □ 안에 알맞은 수를 써넣으시오.

(1) $\dfrac{7}{25} = \dfrac{7}{5^2} = \dfrac{7 \times \square}{5^2 \times \square} = \dfrac{\square}{100} = \square$

(2) $\dfrac{7}{250} = \dfrac{7}{2 \times 5^{\square}} = \dfrac{7 \times \square}{10^3} = \dfrac{\square}{1000} = \square$

5 다음 보기 중 유한소수로 나타낼 수 있는 것은 모두 몇 개인지 구하시오.

> ┤ 보기 ├
> ㉠ $\dfrac{7}{2^2 \times 3}$　　㉡ $\dfrac{1}{2^5}$　　㉢ $\dfrac{12}{40}$
> ㉣ $\dfrac{18}{70}$　　㉤ $\dfrac{3}{90}$　　㉥ $\dfrac{21}{300}$

> 주어진 분수를 먼저 기약분수로 나타내야 해!

1일 교과서 핵심 정리

핵심 4 순환소수로 나타내어지는 분수

정수가 아닌 유리수를 기약분수로 나타낸 후 분모를 소인수분해하였을 때, 분모가 2나 5 이외의 소인수를 가지면 그 유리수는 ❶ [ ]로 나타내어진다.

❶ 순환소수

예 $\dfrac{35}{42} = \dfrac{5}{6} = \dfrac{5}{2 \times 3}$

기약분수로   분모를
나타내기   소인수분해하기

➡ 분모에 2나 5 이외의 소인수 ❷ [ ]이 있으므로 순환소수로 나타내어진다.

❷ 3

핵심 5 순환소수를 분수로 나타내기

방법 1 순환소수를 분수로 나타내는 원리

❶ 순환소수를 x로 놓는다.
❷ 등식의 양변에 ❸ [ ]의 거듭제곱을 곱하여 소수점 아래의 부분이 같은 두 식을 만든다.
❸ 두 식을 변끼리 빼서 x의 값을 구한다.

$x = 0.626262\cdots$로 놓으면

$100x = 62.626262\cdots$
$-)x = 0.626262\cdots$
$\overline{99x = 62}$

$\therefore x = \dfrac{62}{99}$

❸ 10

방법 2 순환소수를 분수로 나타내는 공식

❶ 분모 : 순환마디의 숫자의 개수만큼 ❹ [ ]를 쓰고, 그 뒤에 소수점 아래에 순환하지 않는 숫자의 개수만큼 0을 쓴다.
❷ 분자 : (전체의 수) − (순환하지 않는 부분의 수)

❹ 9

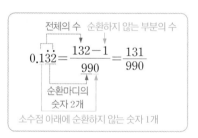

전체의 수   순환하지 않는 부분의 수

$0.1\dot{3}\dot{2} = \dfrac{132 - 1}{990} = \dfrac{131}{990}$

순환마디의
숫자 2개

소수점 아래에 순환하지 않는 숫자 1개

핵심 6 유리수와 소수의 관계

(1) 정수가 아닌 유리수는 유한소수 또는 ❺ [ ]로 나타낼 수 있다.
(2) 유한소수와 순환소수는 모두 ❻ [ ]이다.

❺ 순환소수

❻ 유리수

참고 소수 $\begin{cases} ❼ [\ ] 소수 \\ ❽ [\ ] 소수 \begin{cases} 순환소수 \\ 순환하지 않는 무한소수 \end{cases} \end{cases}$

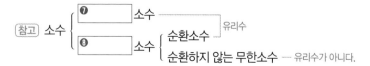

❼ 유한

❽ 무한

시험지 속 개념 문제

정답과 풀이 **74**쪽

6 다음 보기 중 유한소수로 나타낼 수 없는 분수를 모두 고르시오.

┌ 보기 ┐
㉠ $\dfrac{3}{8}$ ㉡ $\dfrac{20}{7}$ ㉢ $\dfrac{2}{35}$ ㉣ $\dfrac{5}{40}$

7 다음은 순환소수를 기약분수로 나타내는 과정이다. □ 안에 알맞은 수를 써넣으시오.

$1.1\dot{5}$를 x라 하면 $x=1.1555\cdots$ ······ ㉠
㉠의 양변에 □을 곱하면
□$x=115.555\cdots$ ······ ㉡
㉠의 양변에 □을 곱하면
□$x=11.555\cdots$ ······ ㉢
㉡에서 ㉢을 변끼리 빼면
□$x=104$ ∴ $x=$□

8 다음 순환소수를 분수로 나타낼 때, 가장 편리한 식을 보기에서 고르시오.

┌ 보기 ┐
㉠ $100x-10x$ ㉡ $1000x-x$
㉢ $10000x-x$ ㉣ $1000x-100x$

(1) $x=0.3\dot{6}$

(2) $x=1.23\dot{4}$

(3) $x=1.\dot{0}17\dot{4}$

(4) $x=0.1\dot{5}\dot{2}$

9 다음은 순환소수를 분수로 나타내는 과정이다. □ 안에 알맞은 수를 써넣으시오.

(1) $0.\dot{2}\dot{4}=\dfrac{\boxed{}}{99}=\dfrac{\boxed{}}{33}$

(2) $5.\dot{7}=\dfrac{57-\boxed{}}{9}=\dfrac{\boxed{}}{9}$

(3) $4.0\dot{4}=\dfrac{\boxed{}-40}{\boxed{}}=\dfrac{182}{\boxed{}}$

(4) $3.1\dot{4}\dot{5}=\dfrac{3145-\boxed{}}{\boxed{}}=\dfrac{\boxed{}}{55}$

10 다음 그림을 보고 순환소수 $0.\dot{3}$은 유리수임을 설명하시오.

대표 예제 **1**

다음 중 순환소수의 표현으로 옳은 것은?

① $0.333\cdots=0.\dot{3}\dot{3}\dot{3}$　　② $3.737373\cdots=\dot{3}.\dot{7}$

③ $1.8222\cdots=1.\dot{8}\dot{2}$　　④ $3.656565\cdots=3.\dot{6}\dot{5}$

⑤ $0.135135135\cdots=0.\dot{1}3\dot{5}$

🧭 **개념 가이드**

순환마디는 순환소수에서 소수점 아래의 숫자의 배열이
[①　　　] 되는 가장 짧은 한 부분이다. 순환소수는 순환마디
의 [②　] 의 숫자 위에 점을 찍어 나타낸다.

답 ① 되풀이　② 양 끝

대표 예제 **2**

다음은 분수 $\dfrac{11}{40}$ 을 유한소수로 나타내는 과정이다.
①~⑤에 알맞은 수로 옳지 <u>않은</u> 것은?

$$\frac{11}{40}=\frac{11}{2^{\boxed{①}}\times 5}=\frac{11\times\boxed{②}}{2^3\times 5\times\boxed{③}}=\frac{275}{\boxed{④}}=\boxed{⑤}$$

① 3　　　　② 10　　　　③ 5^2

④ 1000　　⑤ 0.275

🧭 **개념 가이드**

주어진 분수를 [①　　　] 로 나타낸 다음, 분모와 분자에
적당한 수를 곱하여 분모를 [②　] 의 거듭제곱인 분수로 나
타낸다.　**답** ① 기약분수　② 10

대표 예제 **3**

다음 분수 중 유한소수로 나타낼 수 있는 것은?

① $\dfrac{4}{3}$　　　② $\dfrac{1}{14}$　　　③ $\dfrac{15}{45}$

④ $\dfrac{2}{3\times 5^2}$　　⑤ $\dfrac{9}{2\times 3\times 5}$

🧭 **개념 가이드**

주어진 분수를 먼저 [①　　　] 로 나타낸 다음, 분모를 소
인수분해한다. 이때 분모의 소인수가 2나 [②　] 뿐이면 유한소
수로 나타낼 수 있다.　**답** ① 기약분수　② 5

대표 예제 **4**

분수 $\dfrac{x}{2^2\times 3^2\times 5}$ 를 소수로 나타내면 유한소수가 될 때,
x의 값이 될 수 있는 가장 작은 자연수는?

① 2　　　　② 3　　　　③ 5

④ 9　　　　⑤ 20

🧭 **개념 가이드**

기약분수를 소수로 나타낼 때, 유한소수가 되려면 분모의 소인수
중 [①　] 나 [②　] 이외의 소인수가 없어야 한다.

답 ① 2　② 5

대표 예제 **5**

다음은 순환소수 $0.3\dot{7}$을 기약분수로 나타내는 과정이다. ㈎~㈑에 알맞은 수를 구하시오.

$0.3\dot{7}$을 x라 하면
$x=0.373737\cdots$ …… ㉠
$\boxed{\text{㈎}}\ x=37.373737\cdots$ …… ㉡
㉡―㉠을 하면
$\boxed{\text{㈏}}\ x=\boxed{\text{㈐}}$
$\therefore\ x=\boxed{\text{㈑}}$

개념 가이드

❶ 순환소수를 x로 놓는다.
❷ 등식의 양변에 $\boxed{①}$ 의 거듭제곱을 곱하여 소수점 아래의 부분이 같은 두 식을 만든다.
❸ 두 식을 $\boxed{②}$ 끼리 빼서 x의 값을 구한다.

답 ① 10 ② 변

대표 예제 **6**

다음 중 순환소수를 분수로 나타낸 것으로 옳은 것은?

① $0.0\dot{7}=\dfrac{7}{9}$ ② $2.\dot{8}=\dfrac{28}{9}$

③ $3.\dot{8}\dot{9}=\dfrac{386}{99}$ ④ $0.\dot{5}0\dot{2}=\dfrac{502}{909}$

⑤ $1.2\dot{3}\dot{5}=\dfrac{1234}{990}$

개념 가이드

❶ 분모 : 순환마디의 숫자의 개수만큼 $\boxed{①}$ 를 쓰고, 그 뒤에 소수점 아래에 순환하지 않는 숫자의 개수만큼 0을 쓴다.
❷ 분자 : ($\boxed{②}$ 의 수)―(순환하지 않는 부분의 수)

답 ① 9 ② 전체

대표 예제 **7**

다음 그림을 보고 바르게 설명한 학생을 고르시오.

수영: 모든 수는 분수로 나타낼 수 있어.

재호: 정수가 아닌 유리수는 유한소수 또는 순환소수로 나타낼 수 있어.

재석: 유리수 중에는 분수로 나타낼 수 없는 것도 있어.

진희: 기약분수의 분모에 2나 5 이외의 소인수가 있으면 유한소수로 나타낼 수 있어.

개념 가이드

소수 ┌ 유한소수
    └ 무한소수 ┌ $\boxed{②}$ 소수 ― 유리수
           └ 순환하지 않는 무한소수 ― 유리수가 아니다.
    $\boxed{①}$ 소수

답 ① 무한 ② 순환

대표 예제 **8**

순환소수 $0.5\dot{2}\dot{9}$에서 소수점 아래 100번째 자리의 숫자를 구하시오.

개념 가이드

$0.5\dot{2}\dot{9}=0.529529529\cdots$이므로 규칙성을 찾아 소수점 아래 $\boxed{①}$ 번째 자리의 숫자를 찾는다.

답 ① 100

1 다음 중 순환마디가 바르게 연결된 것은?

① $0.23777\cdots \rightarrow 237$

② $0.343434\cdots \rightarrow 343$

③ $2.712712712\cdots \rightarrow 271$

④ $0.458458458\cdots \rightarrow 584$

⑤ $0.1656565\cdots \rightarrow 65$

2 다음은 분수 $\dfrac{11}{44}$ 을 소수로 나타내는 과정이다. □ 안에 알맞은 수를 써넣으시오.

$$\frac{11}{44} = \frac{\square}{4} = \frac{\square}{2^2 \times \square} = \frac{\square}{100} = \boxed{}$$

3 다음 그림을 보고 유한소수로 나타낼 수 없는 숫자 카드를 가지고 있는 학생을 모두 고르시오.

숫자 카드 중에서 유한소수로 나타낼 수 있는 것을 골라 와 보세요.

$\dfrac{10}{36}$ 현우

$\dfrac{27}{150}$ 우리

$\dfrac{3}{2 \times 3^2}$ 서연

$\dfrac{27}{2^3 \times 3^2}$ 시우

$\dfrac{15}{2^2 \times 5 \times 7}$ 지성

어?! 잘못 골라 온 친구들이 있네.

4 다음 물음에 답하시오.

(1) 분수 $\dfrac{21}{462}$에 x를 곱하면 유한소수로 나타낼 수 있을 때, x의 값이 될 수 있는 가장 작은 자연수를 구하시오.

(2) 분수 $\dfrac{9}{2^3 \times 3 \times a}$를 소수로 나타내면 순환소수가 된다. 이때 한 자리의 자연수 a의 값을 모두 구하시오.

5 순환소수 $x = 83.2707070\cdots$을 분수로 나타낼 때, 이 용하면 가장 편리한 식은?

① $100x - x$ ② $100x - 10x$

③ $1000x - x$ ④ $1000x - 10x$

⑤ $1000x - 100x$

7 다음 설명 중 옳은 것은?

① 유한소수는 유리수가 아니다.

② 모든 무한소수는 순환소수이다.

③ 무한소수는 모두 분수로 나타낼 수 있다.

④ 모든 순환소수는 분수로 나타낼 수 있다.

⑤ 기약분수의 분모의 소인수가 2나 5뿐이면 무한 소수로 나타낼 수 있다.

6 순환소수 $1.2\dot{6}$을 기약분수로 나타내면 $\dfrac{a}{b}$일 때, $a - b$의 값은?

① 1   ② 2   ③ 3

④ 4   ⑤ 5

8 분수 $\dfrac{3}{11}$을 소수로 나타내려고 한다. 다음 물음에 답하시오.

(1) 분수 $\dfrac{3}{11}$을 순환마디를 이용하여 순환소수로 간단히 나타내시오.

(2) 분수 $\dfrac{3}{11}$을 소수로 나타내었을 때, 소수점 아래 200번째 자리의 숫자를 구하시오.

2일 단항식의 계산

이것만은 꼭꼭!

(1) 단항식의 곱셈은 계수는 계수끼리, 문자는 **❶ [　　　]** 끼리 곱하여 계산한다.

　　이때 같은 문자끼리의 곱은 **❷ [　　　]** 을 이용하여 간단히 한다.

(2) 단항식의 나눗셈은 **❸ [　　　]** 의 꼴로 바꾸어 계산하거나, 나눗셈을 역수의 곱셈으로 바꾸어 계산한다.

답 ❶ 문자 ❷ 지수법칙 ❸ 분수

2일 교과서 **핵심 정리**

핵심 1 지수법칙

(1) m, n이 자연수일 때,

$a^m \times a^n = a^{m+n}$

예 $7^2 \times 7^3 = 7^{2+3} = 7^5$, $a^3 \times a^2 = a^{3+2} = $ ❶ ☐

❶ a^5

(2) m, n이 자연수일 때,

$(a^m)^n = a^{mn}$

예 $(2^3)^4 = 2^{3 \times 4} = 2^{12}$, $(x^5)^3 = x^{5 \times 3} = $ ❷ ☐

주의 ① $a^m \times a^n \neq a^{m \times n}$ ② $a^m + a^n \neq a^{m+n}$ ③ $(a^m)^n \neq a^{m^n}$

❷ x^{15}

(3) $a \neq 0$이고 m, n이 자연수일 때

① $m > n$이면 $a^m \div a^n = a^{m-n}$

② $m = n$이면 $a^m \div a^n = $ ❸ ☐

③ $m < n$이면 $a^m \div a^n = \dfrac{1}{a^{n-m}}$

예 $2^5 \div 2^3 = 2^{5-3} = 2^2$, $a^4 \div a^3 = a^{4-3} = $ ❹ ☐

$\quad 3^2 \div 3^2 = \dfrac{3^2}{3^2} = $ ❺ ☐, $a^3 \div a^3 = \dfrac{a^3}{a^3} = 1$

$\quad 2^3 \div 2^7 = \dfrac{1}{2^{7-3}} = \dfrac{1}{2^4}$, $a^3 \div a^4 = \dfrac{a^3}{a^4} = $ ❻ ☐

주의 ① $a^m \div a^n \neq a^{m \div n}$ ② $a^m \div a^n \neq 0$

❸ 1

❹ a

❺ 1

❻ $\dfrac{1}{a}$

(4) m이 자연수일 때

① $(ab)^m = a^m b^m$

② $\left(\dfrac{a}{b}\right)^m = \dfrac{a^m}{b^m}$ (단, $b \neq 0$)

예 $(4a)^3 = 4^3 \times a^3 = 64a^3$, $\left(\dfrac{a}{2}\right)^4 = \dfrac{a^4}{2^4} = $ ❼ ☐

참고 $a > 0$일 때, $(-a)^n = \begin{cases} a^n & (n\text{이 짝수}) \\ -a^n & (n\text{이 홀수}) \end{cases}$

예 $(-a)^3 = (-1)^3 \times a^3 = $ ❽ ☐

❼ $\dfrac{a^4}{16}$

❽ $-a^3$

시험지 속 개념 문제

정답과 풀이 76쪽

1 다음 식을 간단히 하시오.

(1) $x^4 \times x^6$

(2) $a \times a^2 \times a^3$

(3) $x^2 \times x^4 \times y \times y^5$

2 다음 식을 간단히 하시오.

(1) $(x^2)^5$

(2) $(a^3)^2 \times (a^2)^4$

3 다음 식을 간단히 하시오.

(1) $a^7 \div a^3$

(2) $x^5 \div x^5$

(3) $a^4 \div a^6$

(4) $x^5 \div x^2 \div x^6$

4 다음 식을 간단히 하시오.

(1) $(xy)^5$

(2) $(ab^2)^4$

(3) $\left(\dfrac{b^2}{a}\right)^3$

(4) $\left(\dfrac{y^2}{x^3}\right)^4$

5 다음 식을 간단히 하시오.

(1) $(-a)^4$

(2) $(-b^3)^3$

(3) $(-x^5 y^2)^5$

(4) $\left(-\dfrac{2}{3}x^2\right)^2$

음수의 거듭제곱에서는
부호에 주의해!

6 다음 ㉠, ㉡ 중 옳은 것을 고르시오.

(1) ㉠ $x^2 \times x^4 = x^8$ ㉡ $x^2 \times x^4 = x^6$

(2) ㉠ $x^3 \div x^3 = 1$ ㉡ $x^3 \div x^3 = 0$

(3) ㉠ $x^2 \div x^4 = x^2$ ㉡ $x^2 \div x^4 = \dfrac{1}{x^2}$

(4) ㉠ $(3a)^2 = 3a^2$ ㉡ $(3a)^2 = 9a^2$

(5) ㉠ $(x^3)^7 = x^{21}$ ㉡ $(x^3)^7 = x^{10}$

핵심 2 **단항식의 곱셈**

단항식의 곱셈은 계수는 ❶ [　　　]끼리, 문자는 ❷ [　　　]끼리 곱하여 계산한다.

이때 같은 문자끼리의 곱은 지수법칙을 이용하여 간단히 한다.

[예] $-3a \times 2ab$

$= -3 \times a \times 2 \times a \times b$

$= -3 \times 2 \times a \times a \times b$

$= (-3 \times 2) \times (a \times a \times b)$

$=$ ❸ [　　　]

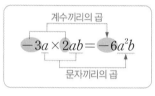

계수끼리의 곱

$-3a \times 2ab = -6a^2b$

문자끼리의 곱

❶ 계수

❷ 문자

❸ $-6a^2b$

[참고] 단항식의 곱셈, 나눗셈에서 부호는 다음과 같이 결정된다.

① 음수가 홀수 개 ➡ 음의 부호($-$)　　　② 음수가 짝수 개 ➡ 양의 부호($+$)

핵심 3 **단항식의 나눗셈**

[방법 1] 분수의 꼴로 바꾸어 계산한다. ➡ $A \div B = \dfrac{A}{B}$

[예] $6x^3 \div 2x^2 = \dfrac{6x^3}{2x^2} =$ ❹ [　　　]

❹ $3x$

[방법 2] 나눗셈을 역수의 ❺ [　　　]으로 바꾸어 계산한다. ➡ $A \div B = A \times \dfrac{1}{B} = \dfrac{A}{B}$

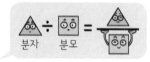

곱셈으로

역수로

❺ 곱셈

[예] $6x^3 \div 2x^2 = 6x^3 \times \dfrac{1}{2x^2} =$ ❻ [　　　]

부호는 그대로 두고
분자와 분모를 서로 바꾼다.

❻ $3x$

핵심 4 **단항식의 곱셈과 나눗셈의 혼합 계산**

❶ 괄호가 있으면 지수법칙을 이용하여 괄호를 푼다.

❷ 나눗셈은 분수의 꼴로 바꾸거나 ❼ [　　　]의 곱셈으로 바꾼다.

❸ 계수는 계수끼리, 문자는 문자끼리 계산한다.

❼ 역수

[예] $12x^2 \div \dfrac{1}{3}x \times \dfrac{5}{4}x^2 = 12x^2 \times$ ❽ [　　　] $\times \dfrac{5}{4}x^2 = 45x^3$

$\dfrac{1}{3}x$ ➡ $\dfrac{x}{3}$로 생각해.

❽ $\dfrac{3}{x}$

정답과 풀이 **76쪽**

7 다음 식을 계산하시오.

(1) $3x \times 5x^2$

(2) $5x^2 \times 6y^3$

(3) $2a^3 \times (-ab^2)$

(4) $4xy^2 \times 7x^2y^3$

8 다음 식을 계산하시오.

(1) $(-3x^2y)^2 \times 5x^3y^3$

(2) $(xy^2)^3 \times (2x^3y)^2$

(3) $(a^2b^3)^2 \times \left(-\dfrac{a}{b^3}\right)^3$

(4) $xy \times (-2x^2y)^2 \times \left(\dfrac{x}{y^2}\right)^3$

9 다음 식을 계산하시오.

(1) $56a^{10} \div 7a^6$

(2) $3x^2 \div (-18x^9)$

(3) $3a^6b^4 \div \dfrac{1}{3ab}$

(4) $24x^5y^3 \div 6x \div (-y^2)$

10 다음 식을 계산하시오.

(1) $(2x^4y^2)^3 \div (-xy)^2$

(2) $(a^5b)^2 \div (a^2b^3)^4$

(3) $(x^3y)^4 \div \left(-\dfrac{2y^2}{x}\right)^3$

(4) $\left(\dfrac{3}{ab^2}\right)^2 \div 12a^3b$

11 다음 식을 계산하시오.

(1) $20xy \div 4y \times 3x^2y$

(2) $15xy^3 \times 4x^2y \div 6x^3y^2$

(3) $\dfrac{a^2}{10} \times 24ab^3 \div \dfrac{3a^3b}{5}$

(4) $(3a^3b)^2 \times (-ab^2) \div 3b$

12 다음은 은정이가 $8x^4 \div \dfrac{1}{2}xy^2$을 계산한 것이다. 잘못 계산한 부분을 찾고, 바르게 계산하시오.

대표 예제 **1**

다음 중 옳지 <u>않은</u> 것은?

① $a^3 \times a^2 = a^5$ 　② $a^5 \div a^3 = a^2$

③ $a^4 \div a^7 = \dfrac{1}{a^3}$ 　④ $(a^2)^3 = a^6$

⑤ $\left(\dfrac{a^3}{3}\right)^2 = \dfrac{a^6}{3}$

🧭 **개념 가이드**

m, n이 자연수일 때,

$(ab)^m = a^m b^{\boxed{①}}$, $\left(\dfrac{a}{b}\right)^m = \dfrac{a^{\boxed{②}}}{b^m}$ (단, $b \neq 0$)

답 ① m ② m

대표 예제 **2**

$2^7 \div 2^n = 2^2$일 때, 자연수 n의 값은?

① 2 　② 3 　③ 4

④ 5 　⑤ 6

🧭 **개념 가이드**

$a \neq 0$이고 m, n이 자연수일 때,

$$a^m \div a^n = \begin{cases} a^{m-n} & (m > n) \\ \boxed{①} & (m = n) \\ \dfrac{1}{a^{\boxed{②}}} & (m < n) \end{cases}$$

답 ① 1 ② $n - m$

대표 예제 **3**

$\left(\dfrac{x^a}{3y}\right)^2 = \dfrac{x^6}{by^c}$ 일 때, 자연수 a, b, c에 대하여 $a + b - c$의 값은?

① 9 　② 10 　③ 11

④ 12 　⑤ 13

🧭 **개념 가이드**

m이 자연수일 때,

$\left(\dfrac{a}{b}\right)^m = \dfrac{a^m}{b^{\boxed{①}}}$ (단, $b \neq 0$)

답 ① m

대표 예제 **4**

다음 그림을 보고 $3^3 + 3^3 + 3^3 = 3^a$, $3^3 \times 3^3 \times 3^3 = 3^b$일 때, 자연수 a, b에 대하여 $b - a$의 값을 구하시오.

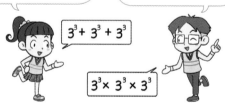

같은 수를 세 번 더하면
$3 \times ($곱한 수$)$

밑이 같은 수를 곱하니까
지수법칙을 이용해.

$3^3 + 3^3 + 3^3$

$3^3 \times 3^3 \times 3^3$

🧭 **개념 가이드**

같은 수의 덧셈을 $\boxed{①}$ 으로 바꾸어 나타낸 후 간단히 한다.

$\to \underbrace{a^m + a^m + a^m + \cdots + a^m}_{a\text{개}} = a \times a^m = a^{\boxed{②}}$

답 ① 곱셈 ② $m+1$

대표 예제 **5**

다음 중 옳은 것은?

① $xy \times 3xy = 4xy$

② $5a^2b \times a^2b = 5a^4b^2$

③ $4a^2b^3 \times 3ab^2 = 12a^2b^5$

④ $(-12x^4y^2) \div 3x^3y^6 = -4xy^4$

⑤ $(-2xy^2)^3 \times 3x^2y = -24x^5y^6$

✏ **개념 가이드**

(1) 단항식의 곱셈은 계수는 [①＿＿＿]끼리, 문자는 [②＿＿＿]끼리 곱하여 계산한다.

(2) 단항식의 나눗셈은 분수의 꼴로 바꾸어 계산하거나 나눗셈을 역수의 곱셈으로 바꾸어 계산한다.

→ $A \div B = \dfrac{A}{B}$, $A \div B = A \times \dfrac{1}{B} = \dfrac{A}{B}$

🔑 ① 계수 ② 문자

대표 예제 **6**

$15x^2y^4 \div \left(-\dfrac{3}{4}xy\right)^2 \times \dfrac{1}{16}xy^3$을 계산하시오.

✏ **개념 가이드**

❶ [①＿＿＿]을 이용하여 괄호를 푼다.

❷ 나눗셈은 분수의 꼴로 바꾸거나 [②＿＿＿]의 곱셈으로 바꾼다.

❸ 계수는 계수끼리, 문자는 문자끼리 계산한다.

🔑 ① 지수법칙 ② 역수

대표 예제 **7**

다음 □ 안에 알맞은 식은?

$$6xy^2 \times \boxed{} \div (-3x^2y^3) = 4x^2y^3$$

① $-2x^3y^3$　　② $-2x^3y^4$　　③ $-2x^4y^2$

④ $-\dfrac{2}{3}x^4y^2$　　⑤ $-\dfrac{2}{3}x^4y^3$

✏ **개념 가이드**

(1) $A \times \blacksquare = B$ ∴ $\blacksquare = \boxed{①}$

(2) $A \div \blacksquare = B$ ∴ $\blacksquare = A \div B = \boxed{②}$

🔑 ① $\dfrac{B}{A}$ ② $\dfrac{A}{B}$

대표 예제 **8**

밑변의 길이가 $7ab$이고 높이가 $6a$인 삼각형의 넓이는?

① $21ab$　　② $21a^2b$　　③ $21a^2b^2$

④ $42ab$　　⑤ $42a^2b$

✏ **개념 가이드**

$(삼각형의 넓이) = \dfrac{1}{\boxed{①}} \times (\boxed{②}) \times (높이)$

🔑 ① 2 ② 밑변의 길이

1 다음 중 옳은 것은?

① $a^5 \times a^3 = a^{15}$ ② $a^2 \times a^6 = a^8$

③ $a^6 \div a^3 = a^2$ ④ $a^2 \div (a^3 \div a^4) = a$

⑤ $a^2 \times a^6 \div a^8 = 0$

2 다음 중 □ 안에 들어갈 수가 가장 작은 것은?

① $(x^\square)^2 = x^{26}$

② $x^2 \times x^\square = x^{14}$

③ $\left(\dfrac{3x^4}{y^3}\right)^2 = \dfrac{9x^8}{y^\square}$

④ $(-2x^3)^4 = \square x^{12}$

⑤ $(x^7)^3 \div x^\square = x^4$

3 다음 두 식을 모두 만족시키는 자연수 x, y에 대하여 $x+y$의 값을 구하시오.

$$\left(\frac{2a}{b^3}\right)^2 = \frac{4a^2}{b^x}, \quad \left(\frac{b^5}{a^x}\right)^3 = \frac{b^{15}}{a^y}$$

4 $5^4 + 5^4 + 5^4 + 5^4 + 5^4$을 5의 거듭제곱으로 나타내면?

① 5^5 ② 5^8 ③ 5^{10}

④ 5^{16} ⑤ 5^{20}

5 다음 중 옳지 <u>않은</u> 것은?

① $2a^3 \times 3a^2 = 6a^5$

② $5a^2b \times (-3ab^2) = -15a^3b^3$

③ $4a^3 \div 2a^2 = 2a$

④ $-a^3b \div \frac{1}{2}ab = -2a^2$

⑤ $(-ab^2)^3 \div a^2b^2 = -ab^3$

6 $\frac{3}{4}x^2y^3 \div \left(-\frac{3y^2}{2x^3}\right)^2 \times \left(\frac{3y}{x^2}\right)^3$ 을 계산하면?

① $9x^2$ ② $9x^2y^2$ ③ $9x^4y^2$

④ $27x^2y^2$ ⑤ $\frac{27x^2}{y}$

7 다음 ☐ 안에 알맞은 식을 구하시오.

$$3xy^2 \div \boxed{} \times (-2x^3y) = 6xy$$

8 도현이는 택배로 다음 그림과 같은 직육면체 모양의 상자를 받았다. 밑면의 가로의 길이가 $6a^3$, 세로의 길이가 $2b$인 상자의 부피가 $60a^4b^3$일 때, 이 상자의 높이를 구하시오.

3일 다항식의 계산

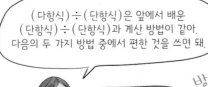

(다항식)÷(단항식)은 앞에서 배운
(단항식)÷(단항식)과 계산 방법이 같아.
다음의 두 가지 방법 중에서 편한 것을 쓰면 돼.

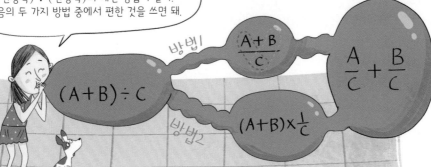

방법1

$$(A+B) \div C \qquad \frac{A+B}{C} \qquad \frac{A}{C} + \frac{B}{C}$$

방법2

$$(A+B) \times \frac{1}{C}$$

저런!
$$4x^2 - 6x \over 2x = \frac{4x^2}{2x} - \frac{6x}{2x}$$
이렇게 풀어야 해.
많이 틀리는 부분이니 조심하자.

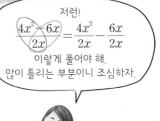

$$(3xy - 2y) \div \left(-\frac{y}{2}\right)$$
$$= (3xy - 2y) \times \left(-\frac{2}{y}\right)$$
$$= 3xy \times \left(-\frac{2}{y}\right) - 2y \times \left(-\frac{2}{y}\right)$$
$$= -6x + 4$$

$$(4x^2 - 6x) \div 2x$$
$$= \frac{4x^2 - 6x}{2x}$$
$$= \frac{4x^2}{2x} - 6x - \frac{6x}{2x}$$
$$= 2x - 6x - 3$$

난 나눗셈을 역수의
곱셈으로 바꿔서 풀겠어.

난 분수 꼴로 나타내서
풀어야지.

이것만은 꼭꼭!

(1) 다항식의 덧셈은 괄호를 풀고 ❶ [   ]끼리 모아서 계산하고, 다항식의 뺄셈은 빼는 식의 각 항의
❷ [   ]를 바꾸어 더한다.

(2) 단항식과 다항식의 곱셈은 ❸ [   ]을 이용하여 단항식을 다항식의 각 항에 곱한다.

(3) 다항식과 단항식의 나눗셈은 분수 꼴로 바꾸거나 ❹ [   ]의 곱셈으로 바꿔서 계산한다.

답 ❶ 동류항 ❷ 부호 ❸ 분배법칙 ❹ 역수

교과서 **핵심 정리**

핵심 1 다항식의 덧셈과 뺄셈

괄호가 있으면 먼저 괄호를 풀고, ❶ [ ] 끼리 모아서 계산한다.

이때 다항식의 **뺄셈**은 빼는 식의 각 항의 부호를 바꾸어 더한다.

예 ① $(2a+3b)+(4a+2b)$ 괄호를 푼다.
    $=2a+3b+4a+2b$ 동류항끼리 모은다.
    $=2a+4a+3b+2b$ 동류항끼리 계산한다.
    $=6a+5b$

② $(2a+3b)-(4a+2b)$ 괄호를 푼다.
    $=2a+3b-4a-2b$ 동류항끼리 모은다.
    $=2a-4a+3b-2b$ 동류항끼리 계산한다.
    $=$ ❷ [ ]

참고 동류항은 문자와 차수가 ❸ [ ] 항이다.

❶ 동류항

❷ $-2a+b$
❸ 같은

핵심 2 이차식의 덧셈과 뺄셈

(1) **이차식** : 다항식의 각 항의 차수 중 가장 큰 차수가 ❹ [ ] 인 다항식

예 $2x^2, x^2+3, x^2-2x+1, \cdots$

(2) **이차식의 덧셈과 뺄셈** : 괄호를 풀고 동류항끼리 모아서 계산한다.

예 $(3x^2-2x-1)-(2x^2-4x+4)$ 괄호를 푼다.
    $=3x^2-2x-1-2x^2+4x-4$ 동류항끼리 모은다.
    $=3x^2-2x^2-2x+4x-1-4$ 동류항끼리 계산한다.
    $=$ ❺ [ ]

참고 이차식의 덧셈과 뺄셈은 이차항은 ❻ [ ] 끼리, 일차항은 일차항끼리, 상수항은 상수항끼리 계산한다.

❹ 2

❺ x^2+2x-5
❻ 이차항

핵심 3 괄호가 있는 다항식의 덧셈과 뺄셈

(소괄호) → {중괄호} → [대괄호]의 순서로 ❼ [ ] 를 풀어서 계산한다.

예 $5a-\{4-(2a-3b)\}=5a-(4-2a+3b)$
          $=5a-4+2a-3b$
          $=$ ❽ [ ]

❼ 괄호

❽ $7a-3b-4$

시험지 속 개념 문제

1 다음 식을 계산하시오.

(1) $(5a+3b)+(2a-2b)$

(2) $(3a-2b)-(6a+4b)$

(3) $(7a+2b)-(-4a+5b)$

(4) $(-4x+7y)-2(-x+4y)$

(5) $(3x+2y-1)-(2x-3y-2)$

2 다음은 민지가 $\dfrac{2x-3y}{4}-\dfrac{3x-2y}{5}$ 를 계산하는 과정이다. □ 안에 알맞은 수를 써넣으시오.

$$\dfrac{2x-3y}{4}-\dfrac{3x-2y}{5}$$
$$=\dfrac{\square(2x-3y)-\square(3x-2y)}{\boxed{}}$$
$$=\dfrac{\boxed{}x-\boxed{}y}{\boxed{}}$$

분모의 최소공배수로 통분해야지!

3 다음 식을 계산하시오.

(1) $(2x^2+x-3)+(-2x^2-7x+1)$

(2) $(5x^2-4x+3)-(-2x^2-x+3)$

(3) $(1-x-2x^2)-4(x^2+4x-2)$

4 다음 식을 계산하시오.

(1) $2x-\{6-(7x-6y)\}$

(2) $a-\{4b-2a-(3a-2b)\}$

5 다음 계산 과정에서 처음으로 틀린 부분을 찾고, 바르게 계산하시오.

$2x^2+x-5-(x^2-2x+2)$ ──ㄱ
$=2x^2+x-5-x^2-2x+2$ ──ㄴ
$=2x^2-x^2+x-2x-5+2$ ──ㄷ
$=x^2+x-3$

교과서 핵심 정리

핵심 4 단항식과 다항식의 곱셈

분배법칙을 이용하여 단항식을 다항식의 각 항에 곱하여 계산한다.

① 전개 : 단항식과 다항식의 곱셈을 [❶]을 이용하여 하나의 [❷]으로 나타내는 것

② 전개식 : 전개하여 얻은 다항식

$$전개 \atop 2a(a+2b)=2a \times a+2a \times 2b=2a^2+4ab \atop 전개식$$

참고 분배법칙 : $a(b+c)=ab+ac$, $(a+b)c=ac+bc$

❶ 분배법칙
❷ 다항식

핵심 5 다항식과 단항식의 나눗셈

방법 1 분수의 꼴로 바꾼 후 분자의 각 항을 분모로 나눈다.

예 $(4a^2x+6ay) \div 2a = \dfrac{4a^2x+6ay}{2a} = \dfrac{4a^2x}{2a} + \boxed{❸}$

$= 2ax+3y$

방법 2 나눗셈을 역수의 [❹]으로 바꾸고 분배법칙을 이용한다.

예 $(4a^2x+6ay) \div 2a = (4a^2x+6ay) \times \dfrac{1}{2a} = 4a^2x \times \dfrac{1}{2a} + 6ay \times \boxed{❺}$

$= \boxed{❻}$

❸ $\dfrac{6ay}{2a}$

❹ 곱셈

❺ $\dfrac{1}{2a}$

❻ $2ax+3y$

핵심 6 사칙계산이 혼합된 식의 계산

❶ 거듭제곱은 [❼]을 이용하여 계산한다.

❷ 괄호는 (소괄호) ➡ {중괄호} ➡ [대괄호]의 순서로 푼다.

❸ 분배법칙을 이용하여 곱셈, 나눗셈을 계산한다.

❹ 동류항끼리 덧셈, 뺄셈을 계산한다.

예 $(x^2y+3x) \times 2xy \div xy^2 = (2x^3y^2+6x^2y) \div xy^2 = \dfrac{2x^3y^2+6x^2y}{xy^2} = \boxed{❽}$

❼ 지수법칙

❽ $2x^2+\dfrac{6x}{y}$

정답과 풀이 **78쪽**

6 다음 식을 전개하시오.

(1) $3a(2a+b)$

(2) $-3xy(x^2-2y)$

(3) $(2a^2-3a) \times (-2a)$

(4) $-3x(xy+2y-4)$

7 다음 식을 계산하시오.

(1) $(-9a^2-15a) \div 3a$

(2) $(10x^2y^2+5xy) \div 5xy$

8 다음은 경수가 $(2x^2-8x) \div \left(-\dfrac{2}{3}x\right)$를 계산하는 과정이다. 처음으로 틀린 부분을 찾고, 바르게 계산하시오.

흠… 어디가 틀린 거지.

$(2x^2-8x) \div \left(-\dfrac{2}{3}x\right)$

$= (2x^2-8x) \times \left(-\dfrac{3}{2}x\right)$ ㉠

$= 2x^2 \times \left(-\dfrac{3}{2}x\right) - 8x \times \left(-\dfrac{3}{2}x\right)$ ㉡

$= -3x^3+12x^2$ ㉢

9 다음 식을 계산하시오.

(1) $(x^2-7) \div \left(-\dfrac{1}{2x}\right)$

(2) $(xy-y^2) \div \dfrac{y}{2x}$

(3) $(3x^3y-6xy^2-3xy) \div \left(-\dfrac{3}{5}xy\right)$

10 다음 식을 계산하시오.

(1) $-x(2-3x)-3x(-4x+1)$

(2) $3a\left(3a-\dfrac{4}{3}b\right)+(2a^2b-6ab^2) \div 2b$

(3) $\dfrac{16a-28a^2}{4a}-\dfrac{15a^2-12a}{3a}$

(4) $\dfrac{18x^3+6x^2}{2x}-(15x^2-24x^3) \div \dfrac{3}{2}x$

대표 예제 1

$-2(2x+3y)+3(-x-y)$를 계산했을 때, x의 계수와 y의 계수의 합은?

① -20　　　② -19　　　③ -18

④ -17　　　⑤ -16

🧭 개념 가이드

다항식의 덧셈은 ① [　　　　]을 이용하여 괄호를 풀고 ② [　　　　]끼리 모아서 계산한다.

답 ① 분배법칙 　② 동류항

대표 예제 2

$(7x^2+2x-5)-2(2x^2-3x+4)$를 계산하면?

① $3x^2-4x+3$　　　② $3x^2-x-1$

③ $3x^2+8x-13$　　　④ $3x^2+8x-3$

⑤ $3x^2+8x+40$

🧭 개념 가이드

이차식의 덧셈과 뺄셈은 이차항은 이차항끼리, 일차항은 ① [　　　　]끼리, 상수항은 ② [　　　　]끼리 모아서 계산한다.

답 ① 일차항 　② 상수항

대표 예제 3

$2a-[3b-\{5a+b-(3a-2b)\}]$를 계산하시오.

🧭 개념 가이드

(소괄호) → {① [　　　　]} → [② [　　　　]]의 순서로 괄호를 풀고, 부호를 틀리지 않도록 주의한다.

답 ① 중괄호 　② 대괄호

대표 예제 4

다음 대화에서 지석이는 어떤 식에 $3a^2-2a+1$을 더해야 할 것을 빼어서 $-5a^2+3a+2$로 답하였다고 한다. 이때 바르게 계산한 답을 구하시오.

🧭 개념 가이드

어떤 식을 A로 놓고 ① [　　　　] 계산한 식을 세워 ② [　　　　]를 먼저 구한 다음, 바르게 계산한 식을 구한다.

답 ① 잘못 　② A

대표 예제 **5**

다음 중 옳은 것을 모두 고르면? (정답 2개)

① $3a(3b+4)=9ab+12a$

② $-2x(3x+2y)=-6x^2+4xy$

③ $(8x^2-6x)\div\dfrac{1}{2}x=4x-6$

④ $(14xy^2+21x)\div(-7x)=2y^2-3$

⑤ $(12x^4y^3-9x^3y^2)\div3x^2y^2=4x^2y-3x$

⊘ 개념 가이드

(1) 단항식과 다항식의 곱셈은 ① ▢ 을 이용하여 전개한다.

(2) 다항식과 단항식의 나눗셈은 분수의 꼴로 바꾸거나 나눗셈을 ② ▢ 의 곱셈으로 바꾼 후 계산한다.

답 ① 분배법칙 ② 역수

대표 예제 **7**

오른쪽 그림과 같이 밑면의 가로의 길이가 a, 세로의 길이가 $2b$, 높이가 $4ab-3a$인 직육면체의 부피를 구하시오.

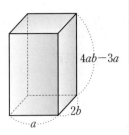

⊘ 개념 가이드

(직육면체의 부피)=(밑면의 가로의 길이)
　　　　　×(밑면의 ① ▢ 의 길이)×(② ▢)

답 ① 세로 ② 높이

대표 예제 **6**

다항식 A에 $\dfrac{1}{4}ab$를 곱한 결과가 $a^2b-\dfrac{1}{2}ab^2+2ab$일 때, 다항식 A를 구하시오.

⊘ 개념 가이드

(1) $A\times B=C$ ➡ $A=C$ ① ▢ B

(2) $A\div B=C$ ➡ $A=C$ ② ▢ B

답 ① ÷ ② ×

대표 예제 **8**

다음을 계산하시오.

$$(14x^2y-6xy)\div2x-(9x^2y-6x)\times\dfrac{1}{3x}$$

⊘ 개념 가이드

사칙계산이 혼합된 식은 ① ▢ 풀기 ➡ 곱셈, 나눗셈 계산하기 ➡ 덧셈, ② ▢ 계산하기의 순서로 계산한다.

답 ① 괄호 ② 뺄셈

1 다음 물음에 답하시오.

(1) $(-2x+y)-4(x-3y)=ax+by$일 때, $a+b$의 값을 구하시오. (단, a, b는 상수)

(2) $\dfrac{x-y}{2}-\dfrac{2x-y+1}{3}$을 계산하면?

① $\dfrac{-x+y-2}{6}$ ② $\dfrac{7x-y-2}{6}$

③ $\dfrac{x-y+1}{6}$ ④ $\dfrac{-x-5y+1}{6}$

⑤ $-\dfrac{x+y+2}{6}$

2 $(5x^2+2x+3)-4(x^2-2x+1)$을 계산했을 때, x^2의 계수와 상수항의 합은?

① -1 ② 0 ③ 1

④ 2 ⑤ 3

3 $4x^2-[x-2\{x+2x(3-4x)-3\}]$을 계산하면?

① $-12x^2+13x-6$ ② $-12x^2+13x+6$

③ $-12x^2+15x-6$ ④ $-20x^2+13x-3$

⑤ $-20x^2+15x+6$

4 다음 대화를 읽고 시험 문제의 답을 바르게 구하시오.

5 다음 중 옳은 것은?

① $x(4x-1)=4x^2-1$

② $(4x^2-6x)\div(-2x)=-2x-3$

③ $(2x+6)\times\left(-\dfrac{x}{2}\right)=-4x^2+12x$

④ $(5x^2+xy)\div\dfrac{1}{6}x=30x^3+6x^2y$

⑤ $2(-x+5y-3)=-2x+10y-6$

6 $\boxed{}\times\dfrac{2}{3}x=-12x^3y^2+8x^2y-2xy$일 때, $\boxed{}$ 안에 알맞은 식은?

① $-18x^2y^2-12xy-3y$

② $-18x^2y^2+12xy-3y$

③ $-18x^4y^2+12xy-3y$

④ $-18x^4y^2+12x^3y-3x^2y$

⑤ $-18x^4y^4-12x^3y-3x^2y$

7 가로의 길이가 $\dfrac{3}{4}xy$인 직사각형의 넓이가 $15x^2y^4-12xy^3$일 때, 이 직사각형의 세로의 길이를 구하시오.

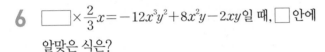

(직사각형의 넓이)
＝(가로의 길이)×(세로의 길이)
임을 기억하자!

8 $\dfrac{10xy-4y^2}{2y}-\dfrac{9x^2+15xy}{3x}=ax+by$일 때, $a-b$ 의 값은? (단, a, b는 상수)

① 6   ② 7   ③ 8

④ 9   ⑤ 10

4일 부등식의 뜻과 풀이(1)

이것만은 꼭꼭!

(1) $a < b$일 때

　① $a+c < b+c$　　　　　② $a-c < b-c$

　③ $c > 0$이면 $ac < bc$, $\dfrac{a}{c} < \dfrac{b}{c}$　　　④ $c < 0$이면 $ac\ \boxed{❶}\ bc$, $\dfrac{a}{c} > \dfrac{b}{c}$

(2) 부등식의 우변에 있는 모든 항을 좌변으로 이항하여 정리한 식이 (일차식)>0, (일차식)<0,
　　(일차식)≥ 0, (일차식)≤ 0 중 어느 하나의 꼴로 나타나는 부등식을 $\boxed{❷\qquad\qquad}$이라 한다.

답 ❶ $>$ ❷ 일차부등식

4일 교과서 핵심 정리

핵심 1 부등식과 그 해

(1) **부등식** : 부등호 $>$, $<$, $\geq$, $\leq$를 사용하여 수 또는 식의 대소 관계를 나타낸 식

(2) **부등식의 표현**

$a>b$	$a<b$	❶	$a\leq b$
a는 b보다 크다. a는 b 초과이다.	a는 b보다 작다. a는 b 미만이다.	a는 b보다 크거나 같다. a는 b보다 작지 않다. a는 b 이상이다.	a는 b보다 작거나 같다. a는 b보다 크지 않다. a는 b 이하이다.

❶ $a\geq b$

(3) **부등식의 해** : 부등식이 ❷ 이 되게 하는 미지수의 값

❷ 참

(4) **부등식을 푼다.** : 부등식의 ❸ 를 모두 구하는 것

❸ 해

[예] x의 값이 1, 2일 때, 부등식 $3x+1<6$을 푸시오.

x의 값	좌변	부등호	우변	참, 거짓
1	$3\times 1+1=4$	$<$	6	❹
2	$3\times 2+1=7$	$>$	6	❺

❹ 참

❺ 거짓

➡ 주어진 부등식의 해는 1이다.

핵심 2 부등식의 성질

(1) 부등식의 양변에 같은 수를 더하거나 양변에서 같은 수를 빼어도 부등호의 방향은 바뀌지 않는다.

➡ $a<b$이면 $a+c<b+c$, $a-c<b-c$

(2) 부등식의 양변에 같은 양수를 곱하거나 양변을 같은 양수로 나누어도 부등호의 방향은 바뀌지 않는다.

➡ $a<b$, c ❻ 0이면 $ac<bc$, $\dfrac{a}{c}<\dfrac{b}{c}$

❻ $>$

(3) 부등식의 양변에 같은 음수를 곱하거나 양변을 같은 음수로 나누면 부등호의 방향이 ❼ .

➡ $a<b$, c ❽ 0이면 $ac>bc$, $\dfrac{a}{c}>\dfrac{b}{c}$

❼ 바뀐다

❽ $<$

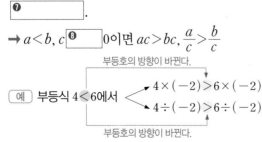

부등호의 방향이 바뀐다.

[예] 부등식 $4<6$에서
$4\times(-2)>6\times(-2)$
$4\div(-2)>6\div(-2)$

부등호의 방향이 바뀐다.

시험지 속 개념 문제

정답과 풀이 **81쪽**

1 다음 중 부등식인 것을 모두 고르면? (정답 2개)

① $x-10$ ② $4+5=9$

③ $\dfrac{1}{2}a-3<0$ ④ $7x=8-6x$

⑤ $1+7\geq 11-3$

2 다음 보기 중 문장을 부등식으로 나타낸 것으로 옳은 것을 모두 고르시오.

┌ 보기 ┐

㉠ x의 2배에 3을 더한 값은 10 이하이다.
　→ $2x+3<10$

㉡ x에서 3을 뺀 수는 x의 4배보다 작지 않다.
　→ $x-3>4x$

㉢ 한 개에 x원인 초콜릿 5개의 값은 5000원 이상이다.
　→ $5x\geq 5000$

㉣ 길이가 x cm인 끈을 4 cm만큼 잘라내고 남은 끈의 길이는 12 cm보다 짧다.
　→ $x-4<12$

㉤ 책값 x원과 배송료 3000원을 합하였더니 20000원보다 작지 않다.
　→ $x+3000\leq 20000$

3 x의 값이 4 이하의 자연수일 때, 부등식 $2x+5>3x+2$의 해를 모두 구하시오.

4 다음 그림에서 부등식과 그 해를 바르게 가지고 있지 <u>않은</u> 학생을 모두 고르시오.

수아 $\dfrac{1}{2}$ $2x+1<4$

혜은 -2 $3x\leq x+5$

가은 $-\dfrac{3}{2}$ $3x+4>2x$

민준 1 $-x+3<2x-4$

승우 3 $7+x\leq 8-2x$

5 $a>b$일 때, 다음 중 옳지 <u>않은</u> 것은?

① $a+1>b+1$

② $5a>5b$

③ $-2a+7>-2b+7$

④ $\dfrac{a}{8}>\dfrac{b}{8}$

⑤ $3-\dfrac{a}{4}<3-\dfrac{b}{4}$

4일 교과서 **핵심 정리**

핵심 3 일차부등식

(1) 일차부등식

부등식의 우변에 있는 모든 항을 좌변으로 이항하여 정리한 식이

(일차식)>0, (일차식)<0, (일차식)≥ 0, (일차식)≤ 0

중 어느 하나의 꼴로 나타나는 부등식을 ❶ [   ]이라 한다.

❶ 일차부등식

예 ① $2x-1>3$에서 3을 이항하면 $2x-4>0$ ➡ 일차부등식

② $2x+1$ ➡ 일차식

③ $2x+1=0$ ➡ 일차방정식

(2) 부등식의 해를 수직선 위에 나타내기

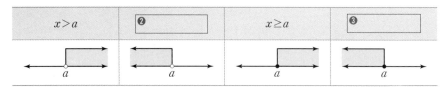

❷ $x<a$

❸ $x\leq a$

참고 수직선에서 'ㅇ'에 대응하는 수는 부등식의 해에 포함되지 않고, '●'에 대응하는 수는 부등식의 해에 포함된다.

핵심 4 일차부등식의 풀이

❶ 미지수 x를 포함한 항은 좌변으로, 상수항은 ❹ [   ]으로 이항한다.

❹ 우변

❷ 양변을 정리하여 $ax>b$, $ax<b$, $ax\geq b$, $ax\leq b$ ($a\neq 0$) 중 어느 하나의 꼴로 나타낸다.

❸ x의 계수로 양변을 나눈다. 이때 x의 계수가 음수이면 부등호의 방향이 ❺ [   ].

❺ 바뀐다

예
$$-5x-9<x+3$$
$$-5x-❻[\ ]<3+❼[\ ]$$
x를 포함한 항은 좌변으로, 상수항은 우변으로 이항한다.

양변을 정리한다.
$$-6x<12$$
x의 계수로 양변을 나눈다.
$$\therefore\ x>❽[\ ]$$
이때 x의 계수가 음수이면 부등호의 방향이 바뀐다.

❻ x

❼ 9

❽ -2

> x의 계수로 나눌 때, x의 계수가 음수이면 부등호의 방향이 바뀐다는 것을 꼭 기억해!

6 다음 보기 중 일차부등식인 것을 모두 고르시오.

보기
㉠ $3x-1>2$ ㉡ $x^2 \geq x-3$
㉢ $3x+2 \leq 3x-5$ ㉣ $x^2+3x<x^2-2$

7 다음 그림에서 지수와 연석이 중 일차부등식을 바르게 푼 학생을 고르시오.

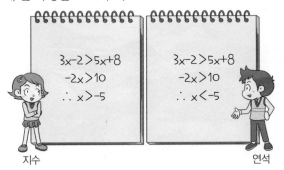

$3x-2>5x+8$
$-2x>10$
$\therefore x>-5$

$3x-2>5x+8$
$-2x>10$
$\therefore x<-5$

지수   연석

8 다음은 부등식 $-3x+1 \geq 10$을 푸는 과정이다. ㉮, ㉯에서 이용된 부등식의 성질을 차례대로 고르시오.

$$-3x+1 \geq 10 \xrightarrow{\text{㉮}} -3x \geq 9 \xrightarrow{\text{㉯}} x \leq -3$$

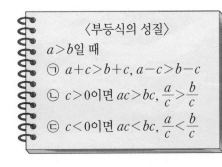

〈부등식의 성질〉
$a>b$일 때
㉠ $a+c>b+c$, $a-c>b-c$
㉡ $c>0$이면 $ac>bc$, $\dfrac{a}{c}>\dfrac{b}{c}$
㉢ $c<0$이면 $ac<bc$, $\dfrac{a}{c}<\dfrac{b}{c}$

9 다음 중 일차부등식 $x-2<3x+6$의 해를 수직선 위에 바르게 나타낸 것은?

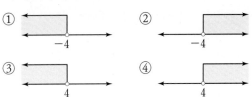

① -4
② -4
③ 4
④ 4
⑤ 4

10 다음 일차부등식을 풀고, 그 해를 오른쪽 수직선 위에 나타내시오.

(1) $x+2>6$
     1   2   3   4   5

(2) $2x-5 \geq 6x+3$
     $-4-3-2-1$ 0

(3) $2x+7 \leq 4x+13$
     $-4-3-2-1$ 0

(4) $x-8>-5x+10$
     1   2   3   4   5

(5) $-4x+13<-7x+1$
     $-5-4-3-2-1$

대표 예제 1

다음 문장을 부등식으로 나타내면?

> x km의 거리를 시속 60 km로 이동할 때 걸리는 시간은 2시간 이하이다.

① $\dfrac{x}{60} \leq 2$　　　② $\dfrac{x}{60} < 2$

③ $60x \leq 2$　　　④ $60x < 2$

⑤ $x + 60 \leq 2$

🧭 **개념 가이드**

(1) (크거나 같다.)=(작지 않다.)=(① 　　 이다.)
(2) (작거나 같다.)=(크지 않다.)=(② 　　 이다.)

답 ① 이상　② 이하

대표 예제 3

$a < b$이고 $c < 0$일 때, 다음 보기 중 옳은 것을 모두 고르시오.

┌ 보기 ┐
㉠ $ac > bc$　　　㉡ $\dfrac{a}{c} < \dfrac{b}{c}$

㉢ $a + c < b + c$　　　㉣ $a - c > b - c$
└

🧭 **개념 가이드**

$a < b$일 때
(1) $a + c < b + c$, $a - c < b - c$
(2) $c > 0$이면 $ac < bc$, $\dfrac{a}{c} < \dfrac{b}{c}$
(3) $c < 0$이면 ac ① bc, $\dfrac{a}{c}$ ② $\dfrac{b}{c}$

답 ① $>$　② $>$

대표 예제 2

다음 부등식 중 $x = 2$가 해인 것은?

① $x - 3 > 5$　　　② $x - 1 \leq -2x$

③ $5 + x \geq -3x$　　　④ $-x - 3 < -5$

⑤ $5x - 6 > 2x + 3$

🧭 **개념 가이드**

$x = a$를 부등식에 대입했을 때
(1) 부등식이 참 ➡ $x = a$는 부등식의 ① 　　 이다.
(2) 부등식이 ② 　　 ➡ $x = a$는 부등식의 해가 아니다.

답 ① 해　② 거짓

대표 예제 4

$-4a + 3 > -4b + 3$일 때, 다음 중 옳은 것은?

① $a > b$　　　② $\dfrac{a}{2} > \dfrac{b}{2}$

③ $a - 7 > b - 7$　　　④ $2 - 9a > 2 - 9b$

⑤ $5a + 3 > 5b + 3$

🧭 **개념 가이드**

부등식의 양변에 같은 음수를 곱하거나 양변을 같은 음수로 나누면 부등호의 방향이 ① 　　 .

답 ① 바뀐다

대표 예제 **5**

다음은 $x \geq 3$일 때, $5 - 2x$의 값의 범위를 구하는 과정이다. □ 안에 알맞은 부등호를 차례대로 나열한 것은?

> $x \geq 3$의 양변에 -2를 곱하면
> $$-2x \ \square \ -6$$
> 양변에 5를 더하면
> $$5 - 2x \ \square \ -1$$

① $\leq$, $\geq$ ② $\leq$, $\leq$ ③ $\geq$, $\geq$

④ $<$, $>$ ⑤ $<$, $<$

개념 가이드

x의 값의 범위가 주어질 때, 부등식의 양변에 ①　　를 곱하여 ax의 값의 범위를 구한 후, 양변에 ②　　를 더하여 $ax + b$의 값의 범위를 구한다.   **답** ① a ② b

대표 예제 **6**

다음 그림에서 일차부등식을 말한 학생을 모두 고르시오.

정우: $x + 4 < x + 2$

석현: $2x + 3(1 - x) \geq 2x + 5$

근영: $4x + 2 = 5x + 1$

나연: $6x - 2$

지아: $x(x + 5) > x^2 - 3$

개념 가이드

부등식의 모든 항을 좌변으로 ①　　하여 정리한 식이
(일차식) > 0, (일차식) < 0, (일차식) ≥ 0, (일차식) ≤ 0
중 어느 하나의 꼴로 나타나면 ②　　　이다.
   답 ① 이항 ② 일차부등식

대표 예제 **7**

다음 부등식 중 해가 나머지 넷과 다른 하나는?

① $3x + 15 > 0$ ② $x - 1 < 2x + 4$

③ $5x > 4x - 5$ ④ $3x + 5 > 2$

⑤ $-\dfrac{x}{5} < 1$

개념 가이드

미지수 x를 포함한 항은 ①　　　으로, 상수항은 ②　　　으로 이항하여 정리한 후 x의 계수로 양변을 나누어 해를 구한다. 이때 x의 계수가 음수이면 부등호의 방향이 바뀐다.
   답 ① 좌변 ② 우변

대표 예제 **8**

일차부등식 $x + 5 < 3x + 4$를 만족하는 가장 작은 정수 x의 값은?

① -2 ② -1 ③ 0

④ 1 ⑤ 2

개념 가이드

일차부등식의 ①　　를 구한 후 조건을 만족하는 가장 작은 ②　　를 찾는다.   **답** ① 해 ② 정수

1 다음 중 문장을 부등식으로 나타낸 것으로 옳은 것은?

① x에 2를 더한 수의 9배는 20보다 작다.
→ $9x+2<20$

② 한 권에 x원인 수첩 7권의 가격은 5000원 이상이다. → $7x≤5000$

③ 가로의 길이가 x cm, 세로의 길이가 10 cm인 직사각형의 넓이는 80 cm^{2}보다 넓다. → $10x≥80$

④ 농도가 x %인 소금물 400 g에 들어 있는 소금의 양은 8 g보다 크지 않다. → $4x≤8$

⑤ 가장 추운 달의 평균 기온 a ℃가 18 ℃ 이상인 지역을 열대 기후 지역이라 한다. → $a>18$

2 다음 중 [ ] 안의 수가 주어진 부등식의 해인 것은?

① $x-2>4$ [2] ② $4x-2<9$ [3]

③ $-x≤4x$ [-1] ④ $2x-1≥-3$ [-2]

⑤ $-2x+4<1$ [2]

3 $a≥b$일 때, 다음 중 옳은 것은?

① $a+3≤b+3$ ② $a-2≤b-2$

③ $-4a≤-4b$ ④ $-a-6≥-b-6$

⑤ $\frac{2}{3}a-4≤\frac{2}{3}b-4$

4 $1-2a<1-2b$일 때, 다음 중 옳은 것은?

① $a<b$

② $-\frac{a}{7}>-\frac{b}{7}$

③ $4a+5<4b+5$

④ $-3a+1>-3b+1$

⑤ $a-3>b-3$

부등식의 양변에 같은 음수를 곱하거나 나누면 부등호의 방향이 바뀜에 주의해.

×(음수) > <
÷(음수)

5 $x \le 1$이고 $A = 3 - 2x$일 때, A의 값의 범위는?

① $A \le 1$ ② $A \ge 1$ ③ $A \ge 5$

④ $A \le 5$ ⑤ $A < 5$

6 다음 중 일차부등식인 것은?

① $2 + 3 \le 5$

② $2x + 1 = 4$

③ $3x - 5 > 3x + 1$

④ $x^2 - x + 1 \ge 0$

⑤ $x^2 + x - 2 \le x^2 - 2x + 1$

7 다음 중 일차부등식 $-3x + 11 \le -6x + 2$의 해를 수직선 위에 바르게 나타낸 것은?

8 일차부등식 $7x - 9 < 8 + 3x$를 만족하는 모든 자연수 x의 값의 합을 구하시오.

여러 가지 일차부등식의 풀이 방법도 기억하자. 먼저 괄호가 있는것!

괄호가 있는 일차부등식

$-(x-3) \leq 3(x-2)$

$\rightarrow -x+3 \leq 3x-6$

괄호는 분배법칙! 이젠 너무 익숙해요.

그럼 계수가 소수이면?

계수가 소수인 일차부등식

$0.4x-0.2 < 0.3x$

$\rightarrow 0.4x \times 10 - 0.2 \times 10 < 0.3x \times 10$

적당한 10의 거듭제곱을 곱한다!

계수가 분수이면?

계수가 분수인 일차부등식

$\frac{1}{2}x - \frac{1}{6} \leq \frac{1}{3}$

$\rightarrow \frac{1}{2}x \times 6 - \frac{1}{6} \times 6 \leq \frac{1}{3} \times 6$

분모의 최소공배수를 곱해요.

아유~. 기특해라. 그래도 방심하지 말고 음수를 곱할 때 부등호의 방향에 주의해야 해.

네~.

걱정이 끝이 없으셔.

공부할
내용

❶ 괄호가 있는 일차부등식의 풀이 ❸ 계수가 분수인 일차부등식의 풀이
❷ 계수가 소수인 일차부등식의 풀이 ❹ 일차부등식의 활용

이것만은 꼭꼭!

(1) 계수가 정수가 아닌 일차부등식에서

   ① 계수가 소수인 경우 ➡ 양변에 10, 100, 1000, … 중에서 적당한 수를 곱한다.

   ② 계수가 분수인 경우 ➡ 양변에 분모의 ❶ [＿＿＿＿＿＿]를 곱한다.

(2) 일차부등식의 활용 문제를 푸는 순서

| 미지수 정하기 | ➡ | 일차부등식 세우기 | ➡ | 일차부등식 풀기 | ➡ | ❷ [＿＿＿＿] |

답 ❶ 최소공배수 ❷ 확인하기

교과서 핵심 정리

핵심 1 괄호가 있는 일차부등식의 풀이

분배법칙을 이용하여 괄호를 풀어 정리한 후 일차부등식을 푼다.

예
$$x-3(x-1)<5$$
$$x-3x+\boxed{❶}<5 \quad \text{괄호를 푼다.}$$
$$-2x<\boxed{❷} \quad \text{양변을 정리한다.}$$
$$\therefore x>\boxed{❸} \quad \text{양변을 } x\text{의 계수로 나눈다.}$$

❶ 3

❷ 2

❸ −1

핵심 2 계수가 소수인 일차부등식의 풀이

양변에 10의 $\boxed{❹}$ 을 적당히 곱하여 계수를 정수로 바꾼 후 일차부등식을 푼다.

❹ 거듭제곱

예
$$0.9x-2>0.5x-1.2$$
$$9x-20>5x-12 \quad \text{양변에 10을 곱한다.}$$
$$4x>8 \quad \text{양변을 정리한다.}$$
$$\therefore x>\boxed{❺} \quad \text{양변을 } x\text{의 계수로 나눈다.}$$

❺ 2

참고 양변에 어떤 수를 곱할 때에는 모든 항에 빠짐없이 곱해야 한다.

$$0.3x-1<0.2x$$
$$0.3x\times10-1\times10<0.2x\times10$$
$$3x-10<2x$$
$$3x-2x<10$$
$$\therefore x<10$$

핵심 3 계수가 분수인 일차부등식의 풀이

양변에 분모의 $\boxed{❻}$ 를 곱하여 계수를 정수로 바꾼 후 일차부등식을 푼다.

❻ 최소공배수

예
$$\frac{x-1}{3}-\frac{3x}{2}<2$$
$$2(x-1)-9x<12 \quad \text{양변에 분모 3, 2의 최소공배수 6을 곱한다.}$$
$$2x-2-9x<12 \quad \text{괄호를 푼다.}$$
$$-7x<\boxed{❼} \quad \text{양변을 정리한다.}$$
$$\therefore x>\boxed{❽} \quad \text{양변을 } x\text{의 계수로 나눈다.}$$

❼ 14

❽ −2

시험지 속 개념 문제

정답과 풀이 **84**쪽

1 다음 중 일차부등식 $3(x-6)<-2(x+1)+9$의 해를 수직선 위에 바르게 나타낸 것은?

① 　　　　　 $\circ$
　　　 -5

② 　　　　　 $\circ$
　　　 -5

③ 　　　　　 $\bullet$
　　　　 5

④ 　　　　　 $\circ$
　　　　 5

⑤ 　　　　　 $\bullet$
　　　　 5

2 다음은 지원이가 일차부등식

$0.2(3x-4)\leq1.5x+1$을 푸는 과정이다. ①~⑤ 중 처음으로 틀린 곳을 찾으시오.

3 다음 일차부등식을 풀고, 그 해를 오른쪽 수직선 위에 나타내시오.

(1) $2(x-4)<1-x$

　　　　　 $1\ 2\ 3\ 4\ 5$

(2) $6(x-2)+4\geq-12+8x$

　　　　　 $1\ 2\ 3\ 4\ 5$

(3) $0.3x+1<0.5x+0.2$

　　　　　 $1\ 2\ 3\ 4\ 5$

(4) $\dfrac{x}{4}-\dfrac{x-2}{3}\geq1$

　　　　　 $-7\ -6\ -5\ -4\ -3$

(5) $\dfrac{4}{3}x+\dfrac{1}{2}\geq\dfrac{5}{2}x-3$

　　　　　 $1\ 2\ 3\ 4\ 5$

(6) $\dfrac{1}{4}x+0.8>x-0.7$

　　　　　 $1\ 2\ 3\ 4\ 5$

교과서 **핵심 정리**

핵심 **4** **일차부등식의 활용**

(1) 일차부등식의 활용

예 어떤 자연수의 3배에서 4를 뺀 수는 6보다 작다고 할 때, 어떤 자연수를 모두 구하시오.

1단계 미지수 정하기

어떤 자연수를 x라 하자.

2단계 일차부등식 세우기

어떤 자연수의 3배에서 4를 뺀 수는 6보다 작다. → $3x - 4$ [❶   ] 6

$$3x - 4 \quad < \quad 6$$

3단계 일차부등식 풀기

$3x - 4 < 6$에서 $3x < 10$ ∴ $x < \dfrac{10}{3}$

따라서 구하는 자연수는 [❷   ]이다.

4단계 확인하기

$x = 1$일 때 $3 \times 1 - 4 < 6$ (참), $x = 2$일 때 $3 \times 2 - 4 < 6$ (참),

$x = 3$일 때 $3 \times 3 - 4 < 6$ (참), $x = 4$일 때 $3 \times 4 - 4 < 6$ (거짓), …

따라서 구하는 자연수는 1, 2, 3이 맞다.

(2) 거리, 속력, 시간에 대한 문제

① (거리) = (속력) × ([❸   ])   ② (속력) = $\dfrac{(거리)}{(시간)}$ ③ (시간) = $\dfrac{([❹   ])}{(속력)}$

예 등산을 하는데 올라갈 때에는 시속 2 km, 내려올 때에는 같은 길을 시속 4 km로 걸어서 전체 걸리는 시간을 3시간 이내로 하려고 한다. 이때 최대 몇 km까지 올라갔다 올 수 있는지 구하시오.

1단계 x km까지 올라갔다 온다고 하자.

2단계 (올라갈 때 걸린 시간) + (내려올 때 걸린 시간) [❺   ] 3

→ $\dfrac{x}{2} + \dfrac{x}{4} \leq 3$

	올라갈 때	내려올 때
거리	x km	x km
속력	시속 2 km	시속 4 km
시간	$\dfrac{x}{2}$ 시간	[❻] 시간

3단계 $\dfrac{x}{2} + \dfrac{x}{4} \leq 3$에서 $2x + x \leq 12$

$3x \leq 12$ ∴ $x \leq$ [❼   ]

따라서 최대 [❽   ] km까지 올라갔다 올 수 있다.

4단계 4 km를 올라간다고 하면 올라갈 때 걸리는 시간은 $\dfrac{4}{2} = 2$(시간),

내려올 때 걸리는 시간은 $\dfrac{4}{4} = 1$(시간)으로 총 $2 + 1 = 3$(시간)이 걸린다.

따라서 3시간 이내로 등산을 하려면 최대 4 km까지 올라갔다 올 수 있다.

❶ $<$

❷ 1, 2, 3

❸ 시간
❹ 거리

❺ $\leq$

❻ $\dfrac{x}{4}$

❼ 4
❽ 4

시험지 속 개념 문제

4 다음 그림을 보고 만족하는 자연수를 모두 구하시오.

어떤 자연수의 4배에서 6을 빼면 10보다 작을 때, 어떤 자연수는?

어떤 자연수를 x로 놓고 부등식을 세우면 되겠어.

6 집에서 도서관까지 갔다 오는데 갈 때에는 시속 2 km, 올 때에는 같은 길을 시속 3 km로 걸으면 1시간 이내에 갔다 올 수 있다고 한다. 다음 표를 완성하고, 집에서 도서관까지의 거리는 최대 몇 km인지 구하시오.

	갈 때	올 때
거리	x km	
속력		
시간		

5 한 개에 1200원인 사과와 한 개에 700원인 귤을 합하여 15개를 사려고 한다. 전체 금액이 15000원을 넘지 않게 하려고 할 때, 사과는 최대 몇 개까지 살 수 있는지 구하시오.

7 오른쪽 그림과 같이 밑변의 길이가 10 cm인 삼각형의 넓이가 40 cm² 이상일 때, 삼각형의 높이는 몇 cm 이상인지 구하시오.

10 cm

(삼각형의 넓이)
$=\dfrac{1}{2} \times$ (밑변의 길이) $\times$ (높이)

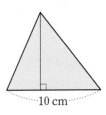

대표 예제 **1**

일차부등식 $-3(x-1) \geq 2x-12$를 만족하는 자연수 x는 모두 몇 개인가?

① 1개 ② 2개 ③ 3개

④ 4개 ⑤ 5개

개념 가이드

괄호가 있으면 ① [   ]을 이용하여 ② [   ]를 풀고 계산한다. **답** ① 분배법칙 ② 괄호

대표 예제 **2**

일차부등식 $0.15x-0.3 \leq 0.12x-0.24$를 풀면?

① $x \leq -2$ ② $x \geq -2$ ③ $x \leq 2$

④ $x \geq 2$ ⑤ $x \leq 4$

개념 가이드

일차부등식의 계수가 소수일 때, 계수를 ① [   ]로 만들기 위해 양변에 ② [   ]의 거듭제곱을 곱하여 푼다. **답** ① 정수 ② 10

대표 예제 **3**

일차부등식 $\dfrac{x-1}{2} \leq \dfrac{x+1}{3}$을 만족하는 가장 큰 정수 x의 값은?

① 4 ② 5 ③ 6

④ 7 ⑤ 8

개념 가이드

일차부등식의 계수가 분수일 때, 계수를 ① [   ]로 만들기 위해 양변에 분모의 ② [   ]를 곱한 후 계산한다. **답** ① 정수 ② 최소공배수

대표 예제 **4**

일차부등식 $-\dfrac{1}{2}x+a > 1$의 해가 $x < 6$일 때, 상수 a의 값을 구하시오.

개념 가이드

부등식을 $x > (수)$, $x < (수)$, x ① [   ] $(수)$, $x \leq (수)$ 중 어느 하나의 꼴로 나타낸 후 주어진 부등식의 ② [   ]와 비교한다. **답** ① $\geq$ ② 해

대표 예제 **5**

다음 두 일차부등식의 해가 서로 같을 때, 상수 a의 값을 구하시오.

$$2+6x \geq 10x-2a, \ \frac{x}{3}-\frac{x-1}{2} \geq 1$$

개념 가이드

❶ 계수와 상수항이 모두 주어진 부등식의 ①▢▢ 를 먼저 구한다.

❷ 다른 부등식의 해가 ❶의 부등식의 해와 같음을 이용하여 ②▢▢▢ 의 값을 구한다.

답 ① 해 ② 미지수

대표 예제 **7**

집 앞 꽃집에서 한 송이에 2000원 하는 장미가 왕복 2400원의 버스비를 내고 도매 시장에 가면 한 송이에 1200원이라 한다. 장미를 몇 송이 이상 살 경우 도매 시장에서 사는 것이 유리한지 구하시오.

개념 가이드

집 근처 가게에서 사는 비용과 할인 매장에서 사는 비용을 각각 구한 후 ①▢▢▢ 을 세운다. 이때 비용이 ②▢▢ 쪽이 유리한 방법이다.

답 ① 부등식 ② 적은

대표 예제 **6**

석민이는 세 번의 시험에서 각각 85점, 84점, 89점을 받았다. 네 번째 시험까지의 평균 점수가 87점 이상이 되려면 네 번째 시험에서 몇 점 이상을 받아야 하는가?

① 90점　　② 91점　　③ 92점

④ 93점　　⑤ 94점

개념 가이드

두 수 a, b의 평균은 $\dfrac{a+b}{①▢}$, 세 수 a, b, c의 평균은 $\dfrac{a+b+c}{②▢}$ 이다.

답 ① 2 ② 3

대표 예제 **8**

제주도 올레길을 갈 때에는 시속 3 km로 걷고, 30분 쉬다가 올 때에는 같은 길을 시속 4 km로 걸어서 전체 걸리는 시간을 4시간 이내로 하려고 한다. 최대 몇 km까지 갔다가 오면 되는가?

① 5 km　　② 6 km　　③ 7 km

④ 8 km　　⑤ 9 km

개념 가이드

$$(거리)=(속력)\times(시간), \ (속력)=\frac{(거리)}{(①▢▢)},$$

$$(시간)=\frac{(거리)}{(②▢▢)} \ 임을 이용하여 부등식을 세운다.$$

답 ① 시간 ② 속력

1 다음은 일차부등식 $2(x-1)>3x-1$을 푸는 과정이다. ①~⑤ 중 처음으로 틀린 곳을 찾으시오.

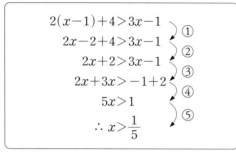

$$2(x-1)+4>3x-1 \quad ①$$
$$2x-2+4>3x-1 \quad ②$$
$$2x+2>3x-1 \quad ③$$
$$2x+3x>-1+2 \quad ④$$
$$5x>1 \quad ⑤$$
$$\therefore x>\frac{1}{5}$$

2 일차부등식 $0.2(5x-2)>0.3x+1$을 만족하는 가장 작은 정수 x의 값을 구하시오.

먼저 일차부등식의 해를 구하고 해의 범위 내에서 가장 작은 정수를 찾아봐!

3 다음 중 일차부등식 $\frac{2}{3}x-1\leq\frac{4x+3}{5}$의 해를 수직선 위에 바르게 나타낸 것은?

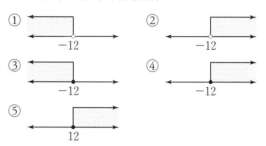

① -12 ② -12
③ -12 ④ -12
⑤ 12

4 일차부등식 $\frac{x}{4}-\frac{x-1}{3}\geq a$의 해가 $x\leq-20$일 때, 상수 a의 값은?

① -3 ② -2 ③ -1
④ 2 ⑤ 3

5 다음 두 일차부등식의 해가 서로 같을 때, 상수 a의 값은?

$$0.3x+2 \leq 0.1x+1.4, \quad 7(x-1) \leq 5(x-a)-3$$

① 1　　　　② 2　　　　③ 3
④ 4　　　　⑤ 5

7 집 근처 가게에서 한 개에 1000원 하는 음료수가 할인 매장에서는 한 개에 500원이라 한다. 할인 매장에 다녀오는 데 드는 왕복 교통비가 1600원일 때, 음료수를 몇 개 이상 살 경우 할인 매장에서 사는 것이 유리한지 구하시오.

6 다음 대화를 읽고 희주는 이번 수학 시험에서 몇 점 이상을 받아야 하는지 구하시오.

8 혜정이가 산책을 하는데 갈 때에는 시속 4 km로 걷고, 올 때에는 갈 때보다 1 km 더 먼 길을 시속 6 km로 걸었다. 전체 걸린 시간이 1시간 50분 이내일 때, 혜정이가 총 걸은 거리는 최대 몇 km인지 구하시오.

1시간 50분은 몇 시간일까?

1 다음 중 순환소수의 표현으로 옳은 것은?

① $0.232323\cdots=0.\dot{2}32\dot{3}$

② $1.777\cdots=1.\dot{7}\dot{7}$

③ $2.432432432\cdots=\dot{2}.4\dot{3}$

④ $2.572572572\cdots=2.57\dot{2}5\dot{7}$

⑤ $7.2641641641\cdots=7.2\dot{6}4\dot{1}$

2 다음 분수 중 유한소수로 나타낼 수 있는 것은?

① $\dfrac{7}{12}$ ② $\dfrac{2}{18}$ ③ $\dfrac{3}{2^2\times3^2}$

④ $\dfrac{6}{2^3\times3}$ ⑤ $\dfrac{3}{2^2\times3^2\times5}$

3 분수 $\dfrac{15}{2\times5\times a}$ 를 소수로 나타내면 순환소수가 될 때, 다음 중 a의 값이 될 수 없는 것을 모두 고르면?

(정답 2개)

① 3   ② 5   ③ 7

④ 9   ⑤ 11

4 다음 그림에서 순환소수 $x=0.8\dot{5}$를 분수로 나타낼 때 이용하면 가장 편리한 식이 적힌 카드를 가지고 있는 학생을 고르시오.

5 다음 설명 중 옳은 것은?

① 순환소수는 유한소수이다.

② 모든 유리수는 유한소수이다.

③ 모든 순환소수는 유리수이다.

④ 정수가 아닌 유리수는 모두 유한소수로 나타낼 수 있다.

⑤ 유한소수로 나타낼 수 있는 기약분수는 분모의 소인수가 3 또는 5뿐이다.

6 다음 그림에서 바르게 계산한 식에 써 있는 글자를 모두 쓰시오.

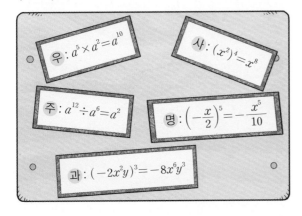

우 : $a^5 \times a^2 = a^{10}$

사 : $(x^2)^4 = x^8$

주 : $a^{12} \div a^6 = a^2$

명 : $\left(-\dfrac{x}{2}\right)^5 = -\dfrac{x^5}{10}$

과 : $(-2x^2y)^3 = -8x^6y^3$

7 다음 중 옳은 것은?

① $9ab^2 \div \dfrac{1}{3}a = 3b^2$

② $3x(2x-4y) = 6x-12xy$

③ $(5a-3b)+(3a+2b) = 8a-2b$

④ $(-8a^2+12ab^2) \div 4a = -2a-3b^2$

⑤ $(3x^2-2x-1)-(2x^2-4x+3) = x^2+2x-4$

8 $2x-[3y-\{5x-(x-4y)\}]$를 계산하였을 때, x의 계수와 y의 계수의 합은?

① 0 　　　② 3 　　　③ 5

④ 7 　　　⑤ 9

9 다음 그림을 보고 바르게 계산한 답을 구하시오.

10 $(4x^4y^2-8x^3y^4) \div 4x^2y^2 - (x-2y^2) \times 3x$를 계산하면 ax^2+bxy^2일 때, 상수 a, b의 값을 각각 구하시오.

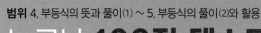
1 다음 보기 중 문장을 부등식으로 나타낸 것으로 옳은 것을 모두 고른 것은?

보기
㉠ 어떤 수 x는 3보다 크다. ➡ $x>3$
㉡ 어떤 수 x를 2배한 것은 4보다 작지 않다.
　　➡ $2x\leq4$
㉢ 한 개에 500원인 과자 x개의 값은 10000원 이상이다. ➡ $500x\geq10000$
㉣ 한 개에 2 kg인 물건 x개와 3 kg인 물건 한 개의 전체 무게는 13 kg 미만이다. ➡ $2x+3\leq13$

① ㉠, ㉡ 　　② ㉠, ㉢ 　　③ ㉡, ㉢
④ ㉡, ㉣ 　　⑤ ㉢, ㉣

2 다음 그림에서 $x=2$를 해로 갖는 부등식이 적힌 카드를 가지고 있는 학생을 고르시오.

주영　$x-5\geq-1$
재범　$4x-1\leq4$
서우　$2(x-2)\leq x$
미연　$-(2x+1)\geq5-x$
현승　$4x-15\geq x+6$

3 $a<b$일 때, 다음 중 옳은 것은?

① $a-7>b-7$ 　　② $\dfrac{a}{3}-1<\dfrac{b}{3}-1$
③ $-\dfrac{a}{2}<-\dfrac{b}{2}$ 　　④ $2a-5>2b-5$
⑤ $-a+3<-b+3$

4 다음 중 일차부등식인 것을 모두 고르면? (정답 2개)

① $4x-2\leq4(x-1)$ 　　② $x^2+5x>x^2$
③ $2x-1=6x-2$ 　　④ $x^2-3x+2<0$
⑤ $4-3x\geq x$

5 다음 중 일차부등식 $3x+7<x+11$의 해를 수직선 위에 바르게 나타낸 것은?

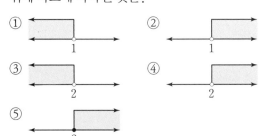

①　　　　　　　　②
　　1　　　　　　　　1
③　　　　　　　　④
　　2　　　　　　　　2
⑤
　-2

6 일차부등식 $-4x+12>-x+3$을 만족하는 가장 큰 정수 x의 값은?

① 0   ② 1   ③ 2
④ 3   ⑤ 4

7 일차부등식 $\dfrac{x-2}{2}-\dfrac{2x-1}{3}\leq -1$을 풀면?

① $x\leq -6$ ② $x\leq -2$ ③ $x\geq -2$
④ $x\leq 2$ ⑤ $x\geq 2$

8 일차부등식 $0.2(5x-3)\leq 0.3x+1$을 만족하는 모든 자연수 x의 값의 합은?

① 1   ② 3   ③ 6
④ 10   ⑤ 15

9 몸무게가 65 kg인 민수가 한 번에 최대 500 kg까지 실을 수 있는 엘리베이터에 한 개에 15 kg인 상자를 운반하려고 한다. 한 번에 최대 몇 개의 상자를 운반할 수 있는지 구하시오.

10 다음 그림을 보고 지연이가 선물을 받으려면 세 번째 수학 시험에서 몇 점 이상을 받아야 하는지 구하시오.

6일 서술형·사고력 **테스트**

1 다음은 순환소수 $0.\dot{2}$를 기약분수로 나타내는 과정이다. 이와 같은 방법으로 순환소수 $0.1\dot{4}\dot{7}$을 기약분수로 나타내시오.

0.$\dot{2}$를 x라 하면
$x=0.222\cdots$ ...... ㉠
㉠의 양변에 10을 곱하면
$10x=2.222\cdots$ ...... ㉡
㉡-㉠을 하면
$\begin{array}{r} 10x=2.222\cdots \\ -)x=0.222\cdots \\ \hline 9x=2 \end{array}$
$\therefore x=\dfrac{2}{9}$

소수점 아래의 부분이 같은 두 식을 만들자!

풀이

답 _____

2 단항식 $6x^3y^2$을 어떤 다항식 A로 나누어야 할 것을 잘못하여 곱하였더니 $12x^4y^3$이 되었다. 다음 물음에 답하시오.

(1) 어떤 다항식 A를 구하시오.

(2) 바르게 계산한 답을 구하시오.

풀이

답 _____

3 $\dfrac{3x-y}{6}-\dfrac{x+y}{4}=ax+by$일 때, 다음 물음에 답하시오. (단, a, b는 상수)

(1) $\dfrac{3x-y}{6}-\dfrac{x+y}{4}$를 간단히 하시오.

(2) $\dfrac{a}{b}$의 값을 구하시오.

풀이

답 _____

4 다음 두 일차부등식의 해가 서로 같을 때, 상수 a의 값을 구하시오.

$$0.5x+2.3>0.2x+1.1, \quad \frac{2x-1}{3}>\frac{x+a}{4}$$

풀이

답 _____

5 다음 대화를 읽고 누나의 예금액이 동생의 예금액보다 많아지는 것은 몇 개월 후부터인지 구하시오.

누나, 내 통장에는 20000원이 있는데 누나는 얼마 있어?

음, 내 통장에는 10000원이 있어.

내가 더 많이 있네. 난 다음 달부터 매달 2000원씩 예금을 할 거야.

난 다음 달부터 매달 3000원씩 예금할 건데, 곧 내가 너보다 예금한 돈이 많아질 걸.

풀이

답 _____

1 다음 그림을 보고 잘못된 부분을 찾아 바르게 고치시오.

2 다음은 $12x^2 \div \frac{3}{2}x$의 계산 과정을 나타낸 것이다. 그림을 보고 바르게 설명한 학생을 모두 고르고, $12x^2 \div \frac{3}{2}x$를 바르게 계산하시오.

3 다음 A의 두 식 중에서 하나의 식을 ㉠, B의 두 식 중에서 하나의 식을 ㉡이라 하고 ㉠+㉡을 계산할 때, 그 결과로 나올 수 <u>없는</u> 식을 고르시오.

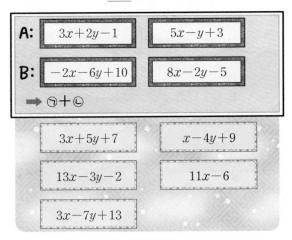

A: $3x+2y-1$ $5x-y+3$

B: $-2x-6y+10$ $8x-2y-5$

➡ ㉠+㉡

$3x+5y+7$ $x-4y+9$

$13x-3y-2$ $11x-6$

$3x-7y+13$

4 다음 두 사람의 대화를 읽고 물음에 답하시오.

> 사랑 : 두 수 a, b에 대하여 $4-3a>4-3b$야.
> 소영 : 너무 복잡하네. a와 b 중 뭐가 크다는 거야?
> 사랑 : 잘 생각해 봐. a가 b보다 크다는 말이지.

(1) 사랑이의 마지막 설명이 옳은지 판단하시오.

(2) (1)에서 판단한 이유를 설명하시오.

(3) (2)에서 사용한 부등식의 성질을 두 가지 쓰시오.

5 다음 대화를 읽고 승호가 수업에 늦지 않으려면 승호네 집에서 몇 m 이내에 있는 마트를 이용하면 되는지 구하시오. (단, 식용유를 사는 데 10분이 걸린다.)

1 순환소수 $3.626262\cdots$의 순환마디를 구하고, 이를 이용하여 순환소수를 간단히 나타내면?

① 26, $3.\dot{2}\dot{6}$　　　② 26, $3.\dot{6}\dot{2}\dot{6}$

③ 62, $3.6\dot{2}$　　　④ 62, $3.6\dot{2}\dot{6}$

⑤ 626, $3.\dot{6}2\dot{6}$

2 다음은 분수 $\dfrac{26}{80}$을 유한소수로 나타내는 과정이다. $A{\sim}E$에 들어갈 수로 옳지 <u>않은</u> 것은?

$$\frac{26}{80}=\frac{A}{40}=\frac{A}{2^B\times5}=\frac{A\times C}{2^B\times5\times C}=\frac{325}{D}=E$$

① $A=13$　　　② $B=3$

③ $C=125$　　　④ $D=1000$

⑤ $E=0.325$

3 다음 그림을 보고 카드에 쓰여진 분수를 소수로 나타낼 때, 순환소수로 나타내어지는 것을 고르시오.

㉠ $\dfrac{3}{8}$　　㉡ $\dfrac{5}{18}$

㉢ $\dfrac{36}{300}$　　㉣ $\dfrac{91}{2^2\times5\times13}$

㉤ $\dfrac{63}{504}$

이 중에 순환소수로 나타내어지는 게 뭐지?

4 다음 중 순환소수 $x=0.2050505\cdots$에 대한 설명으로 옳지 <u>않은</u> 것은?

① $x=0.2\dot{0}\dot{5}$로 나타낸다.

② 유리수이다.

③ 순환마디는 5이다.

④ 분수로 나타내면 $x=\dfrac{203}{990}$이다.

⑤ 분수로 나타낼 때 가장 편리한 식은 $1000x-10x$이다.

5 다음 중 바르게 설명한 학생을 모두 고른 것은?

린아: 유한소수와 무한소수는 모두 유리수이다.

소율: 모든 기약분수는 유한소수로 나타낼 수 있다.

현석: 순환소수는 모두 유리수이다.

아연: 순환하지 않는 무한소수는 유리수이다.

주리: 유한소수로 나타낼 수 없는 정수가 아닌 유리수는 모두 순환소수로 나타낼 수 있다.

① 린아, 아연　　　② 소율, 현석

③ 소율, 주리　　　④ 현석, 아연

⑤ 현석, 주리

6 순환소수 $0.8\dot{7}6543\dot{3}$의 소수점 아래 100번째 자리의 숫자를 구하시오.

9 밑면의 가로의 길이가 $\dfrac{5}{2}a^2$, 높이가 $8b$인 직육면체의 부피가 $80a^4b^7$일 때, 이 직육면체의 밑면의 세로의 길이는?

① $2a^2b^6$ ② $4a^2b^6$ ③ $4a^4b^6$

④ $8a^2b^6$ ⑤ $8a^4b^6$

7 다음 중 $\square$ 안에 들어갈 수가 가장 큰 것은?

① $a^{10} \div a^{\square} = a^5$ ② $(a^2)^{\square} = a^6$

③ $a^3 \times a^{\square} = a^7$ ④ $(2a)^{\square} = 8a^3$

⑤ $(a^3)^3 \times a^{\square} \div a^9 = a^2$

10 $4^5 \times 4^5 \times 4^5 \times 4^5 \times 4^5 = 4^x$, $4^5 + 4^5 + 4^5 + 4^5 = 4^y$일 때, 자연수 x, y에 대하여 $x - y$의 값은?

① 15 ② 16 ③ 17

④ 18 ⑤ 19

8 다음 중 옳지 <u>않은</u> 것은?

① $(-2x^2y)^5 = -32x^{10}y^5$

② $8x^2y \times \dfrac{3}{2}xy^3 = 12x^3y^4$

③ $4x \times \left(-\dfrac{5}{2}x\right)^2 = -25x^3$

④ $\left(\dfrac{3}{2}a^2b\right)^2 \times \left(-\dfrac{b}{3a}\right)^2 = \dfrac{a^2b^4}{4}$

⑤ $(-3x^2y^2)^2 \times 5xy^3 = 45x^5y^7$

11 $\dfrac{a+b}{3}-\dfrac{2a-b}{4}$ 를 계산하였을 때, a의 계수와 b의 계수의 합은?

① $-\dfrac{5}{12}$ ② 0 ③ $\dfrac{5}{12}$

④ $\dfrac{17}{12}$ ⑤ $\dfrac{5}{3}$

12 $6x-[2x-y-\{5x-2y-3(x-y)\}]$ 를 계산하면?

① $6x-2y$ ② $6x-y$ ③ $6x$

④ $6x+y$ ⑤ $6x+2y$

13 다음 보기의 부등식 중 $x=3$이 해인 것을 모두 고른 것은?

┌ 보기 ┐
  ㉠ $2x-1\le 4$ ㉡ $2x-1\ge x$
  ㉢ $3-x<2$ ㉣ $x-1<2x-6$

① ㉠, ㉡ ② ㉠, ㉢ ③ ㉡, ㉢
④ ㉡, ㉣ ⑤ ㉢, ㉣

14 $a<b$일 때, 다음 중 옳은 것은?

① $a-b>0$ ② $a^2<b^2$
③ $a+2<b+2$ ④ $ac<bc$
⑤ $-\dfrac{a}{2}<-\dfrac{b}{2}$

15 다음 중 일차부등식 $2(5-x)<6x-14$의 해를 수직선 위에 바르게 나타낸 것은?

①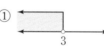

②

③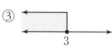

④

⑤

16 일차부등식 $-\dfrac{1}{2}(x+3)>0.3x-1$을 만족하는 가장 큰 정수 x의 값은?

① -2 ② -1 ③ 0
④ 1 ⑤ 2

17 한 개에 1200원인 빵과 한 개에 1500원인 아이스크림을 합하여 14개를 사고 그 가격은 20000원 이하가 되게 하려고 한다. 이때 아이스크림은 최대 몇 개까지 살 수 있는가?

① 7개 ② 8개 ③ 9개
④ 10개 ⑤ 11개

서술형

18 $\dfrac{21}{72}\times x$를 소수로 나타내면 유한소수가 될 때, x의 값이 될 수 있는 가장 작은 자연수를 구하시오.

서술형

19 다음 대화를 읽고 물음에 답하시오.

(1) 어떤 식 A를 구하시오.

(2) 바르게 계산한 답을 구하시오.

서술형

20 집 앞 마트에서 한 개에 1000원 하는 초콜릿이 할인 매장에서는 한 개에 800원이라 한다. 할인 매장에 다녀오는 데 드는 왕복 교통비가 2000원일 때, 초콜릿을 몇 개 이상 살 경우 할인 매장에서 사는 것이 유리한지 구하시오.

1 다음 그림을 보고 순환소수에 대하여 바르게 설명한 학생을 모두 고른 것은?

성규: 순환소수 1.031031031⋯의 순환마디는 031이다.

주연: 순환소수 0.2979797⋯은 0.29$\dot{7}\dot{9}$로 나타낼 수 있다.

승기: 순환소수 2.3777⋯은 2.3$\dot{7}$로 나타낼 수 있다.

현희: 순환소수 0.135135135⋯는 0.$\dot{1}$3$\dot{5}$로 나타낼 수 있다.

① 성규, 주연　　② 성규, 승기
③ 성규, 현희　　④ 주연, 승기
⑤ 승기, 현희

2 다음 분수 중 유한소수로 나타낼 수 있는 것은?

① $\dfrac{1}{2^2 \times 3}$　　② $\dfrac{6}{2 \times 3 \times 5}$

③ $\dfrac{5}{2^2 \times 5 \times 7}$　　④ $\dfrac{15}{2 \times 3^2 \times 5}$

⑤ $\dfrac{20}{2 \times 5 \times 11}$

3 $\dfrac{5}{24} \times a$를 소수로 나타내면 유한소수가 된다. a가 한 자리의 자연수일 때, 모든 a의 값의 합은?

① 3　　② 9　　③ 12
④ 18　　⑤ 21

4 다음은 순환소수 0.50$\dot{6}$을 기약분수로 나타내는 과정이다. ①~⑤에 들어갈 수로 옳은 것은?

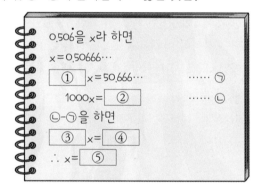

0.50$\dot{6}$을 x라 하면

$x = 0.50666\cdots$

① $x = 50.666\cdots$ ⋯⋯ ㉠

$1000x = $ ② ⋯⋯ ㉡

㉡−㉠을 하면

③ $x = $ ④

∴ $x = $ ⑤

① 10　　② 5066.66⋯　③ 990

④ 456　　⑤ $\dfrac{456}{990}$

5 다음 중 옳은 것은?

① $x^{14} \div x^2 = x^7$　　② $(x^2)^6 \times x = x^9$

③ $\left(\dfrac{y^2}{x}\right)^4 = \dfrac{y^6}{x^4}$　　④ $(a^2)^{10} \div (a^4)^5 = 1$

⑤ $(-2ab^2)^3 = -6a^3b^6$

6 $(4xy)^2 \div \left(-\dfrac{2}{3}y^4\right) \div 6x^3y$ 를 계산하면?

① $-\dfrac{1}{xy^3}$ ② $-\dfrac{y^4}{x^2}$ ③ $-\dfrac{4}{xy^3}$

④ $-\dfrac{4x^5}{y^3}$ ⑤ $-\dfrac{144x^5}{y}$

7 $\left(\dfrac{3x^a}{y}\right)^b = \dfrac{9x^6}{y^c}$ 일 때, 자연수 a, b, c에 대하여 $a+b+c$의 값은?

① 4   ② 5   ③ 6

④ 7   ⑤ 8

8 $(4x^2+x-3)-3(2x^2+5x-6)$을 계산하면 Ax^2+Bx+C일 때, $A-B+C$의 값은?

(단, A, B, C는 상수)

① 21   ② 23   ③ 25

④ 27   ⑤ 29

9 $2(x+ay)+(2x-5y)=4x-7y$일 때, 상수 a의 값은?

① -1 ② 0   ③ 1

④ 2   ⑤ 3

10 어떤 식에 $2x^2-3x+5$를 더했더니 $-x^2+4x+4$가 되었다. 어떤 식에서 $-x^2+x+6$을 뺀 식은?

① $2x^2+6x-7$ ② $2x^2-6x-7$

③ $-2x^2+6x+7$ ④ $-2x^2+6x-7$

⑤ $-2x^2-6x-7$

11 다음 중 [ ] 안의 수가 주어진 부등식의 해인 것은?

① $-4x-1 \geq 7$ $[-3]$

② $2x-3 < -7$ $[-2]$

③ $3x+2 \leq 6$ $[2]$

④ $x+3 > -1$ $[-5]$

⑤ $5x \geq 3x+4$ $[0]$

12 $5a-2 \leq 5b-2$일 때, 다음 중 옳지 <u>않은</u> 것은?

① $a \leq b$

② $a+1 \leq b+1$

③ $4a-3 \leq 4b-3$

④ $5-\dfrac{a}{3} \leq 5-\dfrac{b}{3}$

⑤ $-\dfrac{a+3}{2} \geq -\dfrac{b+3}{2}$

13 다음 중 일차부등식인 것은?

① $7x = 8-6x$

② $x^2+3x < 1-x^2$

③ $4(x-2) \geq x^2-3$

④ $3(2x+5) > -2(4-3x)$

⑤ $4x^2-3x+7 \leq 2(x+2x^2)-5$

14 일차부등식 $2-2x \leq a$의 해가 $x \geq 2$일 때, 상수 a의 값은?

① -6 ② -2 ③ 0

④ 2 ⑤ 6

15 다음 두 일차부등식의 해가 서로 같을 때, 상수 a의 값은?

$$7x+4 \geq 9x+2a, \quad \frac{x}{3}-\frac{x+1}{4} \leq \frac{1}{6}$$

① -7 ② -6 ③ -5

④ -4 ⑤ -3

16 다음 두루마리에 쓰여진 문장을 부등식으로 바르게 나타낸 것은?

오! 드디어 고대 문서를 발견했다.

무엇이 쓰여 있을까.

x에서 5를 뺀 값은 x의 2배보다 크지 않다.

① $x-5>2x$
② $x-5<2x$
③ $x-5\geq 2x$
④ $x-5\leq 2x$
⑤ $2(x-5)>x$

17 대진이는 1, 2, 3단원 수학 형성평가에서 각각 72점, 85점, 84점을 받았다. 네 번에 걸친 수학 형성평가의 평균 점수가 80점 이상이 되려면 4단원 수학 형성평가에서 몇 점 이상을 받아야 하는가?

① 78점
② 79점
③ 80점
④ 81점
⑤ 82점

18 다음 두 식을 모두 만족하는 자연수 x, y에 대하여 $x+y$의 값을 구하시오.

$$(a^4)^3 \times a^x = a^{16},\ a^x \times a^5 \div (a^2)^y = a^3$$

19 $A=(20a^2-24ab+16a) \div 4a$,

$B=(9a^2b-3ab^2-6ab) \div \dfrac{3}{2}ab$일 때, $A-B$를 계산하시오.

20 일차부등식 $-4(x-3) \geq 2(x+1)-11$을 만족하는 모든 자연수 x의 값의 합을 구하시오.

memo

중간 대비

정답과 풀이

1일 유리수와 순환소수

시험지 속 개념 문제 | 9쪽, 11쪽

1 ㉡, ㉤

2 (1) 53, $0.\dot{5}\dot{3}$　(2) 23, $2.1\dot{2}\dot{3}$　(3) 495, $3.\dot{4}9\dot{5}$　(4) 21, $1.2\dot{1}$

3 78, $0.\dot{7}\dot{8}$　**4** (1) 2^2, 2^2, 28, 0.28　(2) 3, 2^2, 28, 0.028

5 3개　　　　　　　**6** ㉡, ㉢

7 100, 100, 10, 10, 90, $\dfrac{52}{45}$

8 (1) ㉠　(2) ㉣　(3) ㉢　(4) ㉡

9 (1) 24, 8　(2) 5, 52　(3) 404, 90, 45　(4) 31, 990, 173

10 풀이 참조

5 ㉢ $\dfrac{12}{40} = \dfrac{3}{10} = \dfrac{3}{2 \times 5}$

㉣ $\dfrac{18}{70} = \dfrac{9}{35} = \dfrac{9}{5 \times 7}$

㉤ $\dfrac{3}{90} = \dfrac{1}{30} = \dfrac{1}{2 \times 3 \times 5}$

㉥ $\dfrac{21}{300} = \dfrac{7}{100} = \dfrac{7}{2^2 \times 5^2}$

따라서 유한소수로 나타낼 수 있는 것은 ㉡, ㉢, ㉥의 3개이다.

6 ㉠ $\dfrac{3}{8} = \dfrac{3}{2^3}$

㉢ $\dfrac{2}{35} = \dfrac{2}{5 \times 7}$

㉣ $\dfrac{5}{40} = \dfrac{1}{8} = \dfrac{1}{2^3}$

따라서 유한소수로 나타낼 수 없는 것은 ㉡, ㉢이다.

10 유리수는 $\dfrac{(정수)}{(0이\ 아닌\ 정수)}$의 꼴로 나타낼 수 있는 수이고 순환소수 $0.\dot{3}$은 분수 $\dfrac{1}{3}$로 나타낼 수 있다.

따라서 순환소수 $0.\dot{3}$은 분수로 나타낼 수 있으므로 유리수이다.

교과서 기출 베스트 1회 | 12쪽~13쪽

1 ④　　**2** ②　　**3** ⑤　　**4** ④

5 (가) 100　(나) 99　(다) 37　(라) $\dfrac{37}{99}$　　**6** ③

7 재호　　**8** 5

1 ① $0.333\cdots = 0.\dot{3}$　② $3.737373\cdots = 3.\dot{7}\dot{3}$

③ $1.8222\cdots = 1.8\dot{2}$　⑤ $0.135135135\cdots = 0.\dot{1}3\dot{5}$

따라서 순환소수의 표현으로 옳은 것은 ④이다.

2 ② 5^2

3 ② $\dfrac{1}{14} = \dfrac{1}{2 \times 7}$　③ $\dfrac{15}{45} = \dfrac{1}{3}$　⑤ $\dfrac{9}{2 \times 3 \times 5} = \dfrac{3}{2 \times 5}$

따라서 유한소수로 나타낼 수 있는 것은 ⑤이다.

4 $\dfrac{x}{2^2 \times 3^2 \times 5}$가 유한소수가 되려면 x는 3^2의 배수이어야 한다.

따라서 구하는 가장 작은 자연수는 9이다.

6 ① $0.0\dot{7} = \dfrac{7}{90}$

② $2.\dot{8} = \dfrac{28-2}{9} = \dfrac{26}{9}$

③ $3.\dot{8}\dot{9} = \dfrac{389-3}{99} = \dfrac{386}{99}$

④ $0.\dot{5}0\dot{2} = \dfrac{502}{999}$

⑤ $1.2\dot{3}\dot{5} = \dfrac{1235-12}{990} = \dfrac{1223}{990}$

따라서 순환소수를 분수로 나타낸 것으로 옳은 것은 ③이다.

7 수영 : 순환하지 않는 무한소수는 분수로 나타낼 수 없다.

재석 : 모든 유리수는 분수로 나타낼 수 있다.

진희 : 기약분수의 분모에 2나 5 이외의 소인수가 있으면 유한소수로 나타낼 수 없다.

따라서 바르게 설명한 학생은 재호이다.

8 순환마디는 529이다.

순환마디를 이루는 숫자는 3개이고, $100=3\times33+1$이므로 소수점 아래 100번째 자리의 숫자는 순환마디의 첫 번째 숫자인 5이다.

---

1 ① $0.23777\cdots \rightarrow 7$

② $0.343434\cdots \rightarrow 34$

③ $2.712712712\cdots \rightarrow 712$

④ $0.458458458\cdots \rightarrow 458$

따라서 순환마디가 바르게 연결된 것은 ⑤이다.

3 현우 : $\dfrac{10}{36}=\dfrac{5}{18}=\dfrac{5}{2\times3^2}$

우리 : $\dfrac{27}{150}=\dfrac{9}{50}=\dfrac{9}{2\times5^2}$

서연 : $\dfrac{3}{2\times3^2}=\dfrac{1}{2\times3}$

시우 : $\dfrac{27}{2^3\times3^2}=\dfrac{3}{2^3}$

지성 : $\dfrac{15}{2^2\times5\times7}=\dfrac{3}{2^2\times7}$

따라서 유한소수로 나타낼 수 없는 숫자 카드를 가지고 온 학생은 현우, 서연, 지성이다.

4 (1) $\dfrac{21}{462}=\dfrac{1}{22}=\dfrac{1}{2\times11}$

$\dfrac{1}{2\times11}\times x$를 유한소수로 나타낼 수 있으려면 x는 11의 배수이어야 하므로 x의 값이 될 수 있는 가장 작은 자연수는 11이다.

(2) $\dfrac{9}{2^3\times3\times a}=\dfrac{3}{2^3\times a}$이 순환소수로 나타내어지려면 기약분수의 분모에 2나 5 이외의 소인수가 있어야 한다.

이때 a는 한 자리의 자연수이므로

$a=3, 6, 7, 9$

$a=3$이면 $\dfrac{3}{2^3\times3}=\dfrac{1}{2^3}$

$a=6$이면 $\dfrac{3}{2^3\times6}=\dfrac{1}{2^4}$

따라서 구하는 a의 값은 7, 9이다.

5 $x=83.2707070\cdots$이므로

$\begin{array}{r} 1000x=83270.707070\cdots \\ -)10x=832.707070\cdots \\ \hline 990x=82438 \end{array}$

$\therefore x=\dfrac{82438}{990}=\dfrac{41219}{495}$

따라서 $1000x-10x$를 이용하면 가장 편리하다.

6 $1.2\dot{6}=\dfrac{126-12}{90}=\dfrac{114}{90}=\dfrac{19}{15}$

따라서 $a=19, b=15$이므로

$a-b=19-15=4$

7 ① 유한소수는 유리수이다.

② 무한소수 중에는 순환하지 않는 무한소수도 있다.

③ 무한소수 중 순환하지 않는 무한소수는 분수로 나타낼 수 없다.

⑤ 기약분수의 분모의 소인수가 2나 5뿐이면 유한소수로 나타낼 수 있다.

따라서 옳은 것은 ④이다.

8 (1) $\dfrac{3}{11}=0.272727\cdots=0.\dot{2}\dot{7}$

(2) $\dfrac{3}{11}=0.\dot{2}\dot{7}$의 순환마디는 27이다.

순환마디를 이루는 숫자는 2개이고, $200=2\times100$이므로 소수점 아래 200번째 자리의 숫자는 순환마디의 2번째 숫자인 7이다.

✦2일 단항식의 계산

시험지 속 개념 문제 | 19쪽, 21쪽

1 (1) x^{10} (2) a^6 (3) x^6y^6 **2** (1) x^{10} (2) a^{14}

3 (1) a^4 (2) 1 (3) $\dfrac{1}{a^2}$ (4) $\dfrac{1}{x^3}$

4 (1) x^5y^5 (2) a^4b^8 (3) $\dfrac{b^6}{a^3}$ (4) $\dfrac{y^8}{x^{12}}$

5 (1) a^4 (2) $-b^9$ (3) $-x^{25}y^{10}$ (4) $\dfrac{4}{9}x^4$

6 (1) ㉡ (2) ㉠ (3) ㉡ (4) ㉡ (5) ㉠

7 (1) $15x^3$ (2) $30x^2y^3$ (3) $-2a^4b^2$ (4) $28x^3y^5$

8 (1) $45x^7y^5$ (2) $4x^9y^8$ (3) $-\dfrac{a^7}{b^3}$ (4) $\dfrac{4x^8}{y^3}$

9 (1) $8a^4$ (2) $-\dfrac{1}{6x^7}$ (3) $9a^7b^5$ (4) $-4x^4y$

10 (1) $8x^{10}y^4$ (2) $\dfrac{a^2}{b^{10}}$ (3) $-\dfrac{x^{15}}{8y^2}$ (4) $\dfrac{3}{4a^5b^5}$

11 (1) $15x^3y$ (2) $10y^2$ (3) $4b^2$ (4) $-3a^7b^3$

12 풀이 참조

2 (2) $(a^3)^2 \times (a^2)^4 = a^6 \times a^8 = a^{14}$

5 (1) $(-a)^4 = (-1)^4 \times a^4 = a^4$

(2) $(-b^3)^3 = (-1)^3 \times (b^3)^3 = -b^9$

(3) $(-x^5y^2)^5 = (-1)^5 \times (x^5y^2)^5 = -x^{25}y^{10}$

(4) $\left(-\dfrac{2}{3}x^2\right)^2 = \left(-\dfrac{2}{3}\right)^2 \times (x^2)^2 = \dfrac{4}{9}x^4$

8 (1) $(-3x^2y)^2 \times 5x^3y^3 = 9x^4y^2 \times 5x^3y^3 = 45x^7y^5$

(2) $(xy^2)^3 \times (2x^3y)^2 = x^3y^6 \times 4x^6y^2 = 4x^9y^8$

(3) $(a^2b^3)^2 \times \left(-\dfrac{a}{b^3}\right)^3 = a^4b^6 \times \left(-\dfrac{a^3}{b^9}\right) = -\dfrac{a^7}{b^3}$

(4) $xy \times (-2x^2y)^2 \times \left(\dfrac{x}{y^2}\right)^3 = xy \times 4x^4y^2 \times \dfrac{x^3}{y^6}$

$= \dfrac{4x^8}{y^3}$

9 (1) $56a^{10} \div 7a^6 = \dfrac{56a^{10}}{7a^6} = 8a^4$

(2) $3x^2 \div (-18x^9) = \dfrac{3x^2}{-18x^9} = -\dfrac{1}{6x^7}$

(3) $3a^6b^4 \div \dfrac{1}{3ab} = 3a^6b^4 \times 3ab = 9a^7b^5$

(4) $24x^5y^3 \div 6x \div (-y^2) = 24x^5y^3 \times \dfrac{1}{6x} \times \left(-\dfrac{1}{y^2}\right)$

$= -4x^4y$

10 (1) $(2x^4y^2)^3 \div (-xy)^2 = 8x^{12}y^6 \div x^2y^2$

$= \dfrac{8x^{12}y^6}{x^2y^2} = 8x^{10}y^4$

(2) $(a^5b)^2 \div (a^2b^3)^4 = a^{10}b^2 \div a^8b^{12}$

$= \dfrac{a^{10}b^2}{a^8b^{12}} = \dfrac{a^2}{b^{10}}$

(3) $(x^3y)^4 \div \left(-\dfrac{2y^2}{x}\right)^3 = x^{12}y^4 \div \left(-\dfrac{8y^6}{x^3}\right)$

$= x^{12}y^4 \times \left(-\dfrac{x^3}{8y^6}\right)$

$= -\dfrac{x^{15}}{8y^2}$

(4) $\left(\dfrac{3}{ab^2}\right)^2 \div 12a^3b = \dfrac{9}{a^2b^4} \div 12a^3b$

$= \dfrac{9}{a^2b^4} \times \dfrac{1}{12a^3b} = \dfrac{3}{4a^5b^5}$

11 (1) $20xy \div 4y \times 3x^2y = 20xy \times \dfrac{1}{4y} \times 3x^2y$

$= 15x^3y$

(2) $15xy^3 \times 4x^2y \div 6x^3y^2 = 15xy^3 \times 4x^2y \times \dfrac{1}{6x^3y^2}$

$= 10y^2$

(3) $\dfrac{a^2}{10} \times 24ab^3 \div \dfrac{3a^3b}{5} = \dfrac{a^2}{10} \times 24ab^3 \times \dfrac{5}{3a^3b}$

$= 4b^2$

(4) $(3a^3b)^2 \times (-ab^2) \div 3b = 9a^6b^2 \times (-ab^2) \times \dfrac{1}{3b}$

$= -3a^7b^3$

12 $\div \dfrac{1}{2}xy^2$을 $\times 2xy^2$으로 잘못 계산했다.

바르게 계산하면

$8x^4 \div \dfrac{1}{2}xy^2 = 8x^4 \times \dfrac{2}{xy^2} = \dfrac{16x^3}{y^2}$

④ $(-12x^4y^2) \div 3x^3y^6 = (-12x^4y^2) \times \dfrac{1}{3x^3y^6}$

$\qquad\qquad\qquad = -\dfrac{4x}{y^4}$

⑤ $(-2xy^2)^3 \times 3x^2y = -8x^3y^6 \times 3x^2y$

$\qquad\qquad\qquad = -24x^5y^7$

따라서 옳은 것은 ②이다.

| 22쪽~23쪽

교과서 기출 베스트 ①회

1 ⑤	**2** ④	**3** ②	**4** 5
5 ②	**6** $\dfrac{5}{3}xy^5$	**7** ②	**8** ②

1 ⑤ $\left(\dfrac{a^3}{3}\right)^2 = \dfrac{a^6}{9}$

2 $2^7 \div 2^n = 2^2$에서 $2^{7-n} = 2^2$이므로

$7 - n = 2$ $\quad \therefore n = 5$

3 $\left(\dfrac{x^a}{3y}\right)^2 = \dfrac{x^{2a}}{9y^2} = \dfrac{x^6}{by^c}$이므로

$2a = 6$, $b = 9$, $c = 2$

따라서 $a = 3$, $b = 9$, $c = 2$이므로

$a + b - c = 3 + 9 - 2 = 10$

4 $3^3 + 3^3 + 3^3 = 3 \times 3^3 = 3^{1+3} = 3^4$이므로

$a = 4$

$3^3 \times 3^3 \times 3^3 = 3^{3+3+3} = 3^9$이므로

$b = 9$

$\therefore b - a = 9 - 4 = 5$

5 ① $xy \times 3xy = 3x^2y^2$

③ $4a^2b^3 \times 3ab^2 = 12a^3b^5$

6 $15x^2y^4 \div \left(-\dfrac{3}{4}xy\right)^2 \times \dfrac{1}{16}xy^3$

$= 15x^2y^4 \div \dfrac{9}{16}x^2y^2 \times \dfrac{1}{16}xy^3$

$= 15x^2y^4 \times \dfrac{16}{9x^2y^2} \times \dfrac{1}{16}xy^3$

$= \dfrac{5}{3}xy^5$

7 $\boxed{} = 4x^2y^3 \div 6xy^2 \times (-3x^2y^3)$

$\qquad = 4x^2y^3 \times \dfrac{1}{6xy^2} \times (-3x^2y^3)$

$\qquad = -2x^3y^4$

8 (삼각형의 넓이) $= \dfrac{1}{2} \times 7ab \times 6a$

$\qquad\qquad\qquad = 21a^2b$

| 24쪽 ~25쪽

교과서 기출 베스트 ②회

1 ②	**2** ③	**3** 24	**4** ①
5 ⑤	**6** ②	**7** $-x^3y^2$	**8** $5ab^2$

1 ① $a^5 \times a^3 = a^8$

③ $a^6 \div a^3 = a^3$

④ $a^2 \div (a^3 \div a^4) = a^2 \div \dfrac{1}{a} = a^2 \times a = a^3$

⑤ $a^2 \times a^6 \div a^8 = a^8 \div a^8 = 1$

따라서 옳은 것은 ②이다.

2 ① $\square \times 2 = 26$ $\therefore \square = 13$

② $2 + \square = 14$ $\therefore \square = 12$

③ $\square = 3 \times 2 = 6$

④ $\square = (-2)^4 = 16$

⑤ $7 \times 3 - \square = 4$ $\therefore \square = 17$

따라서 $\square$ 안에 들어갈 수가 가장 작은 것은 ③이다.

3 $\left(\dfrac{2a}{b^3}\right)^2 = \dfrac{4a^2}{b^6} = \dfrac{4a^2}{b^x}$ 이므로 $x = 6$

$\left(\dfrac{b^5}{a^x}\right)^3 = \left(\dfrac{b^5}{a^6}\right)^3 = \dfrac{b^{15}}{a^{18}} = \dfrac{b^{15}}{a^y}$ 이므로 $y = 18$

$\therefore x + y = 6 + 18 = 24$

4 $5^4 + 5^4 + 5^4 + 5^4 + 5^4 = 5 \times 5^4 = 5^5$

5 ⑤ $(-ab^2)^3 \div a^2 b^2 = -a^3 b^6 \div a^2 b^2$

$= -a^3 b^6 \times \dfrac{1}{a^2 b^2} = -ab^4$

6 $\dfrac{3}{4} x^2 y^3 \div \left(-\dfrac{3y^2}{2x^3}\right)^2 \times \left(\dfrac{3y}{x^2}\right)^3$

$= \dfrac{3}{4} x^2 y^3 \div \dfrac{9y^4}{4x^6} \times \dfrac{27y^3}{x^6}$

$= \dfrac{3}{4} x^2 y^3 \times \dfrac{4x^6}{9y^4} \times \dfrac{27y^3}{x^6}$

$= 9x^2 y^2$

7 $\boxed{} = 3xy^2 \times (-2x^3 y) \div 6xy$

$= 3xy^2 \times (-2x^3 y) \times \dfrac{1}{6xy}$

$= -x^3 y^2$

8 $6a^3 \times 2b \times (\text{높이}) = 60a^4 b^3$ 이므로

$(\text{높이}) = 60a^4 b^3 \times \dfrac{1}{6a^3} \times \dfrac{1}{2b}$

$= 5ab^2$

3일 다항식의 계산

시험지 속 개념 문제 | 29쪽, 31쪽

1 (1) $7a + b$ (2) $-3a - 6b$ (3) $11a - 3b$ (4) $-2x - y$

(5) $x + 5y + 1$

2 $5, 4, 20, -2, 7, 20$

3 (1) $-6x - 2$ (2) $7x^2 - 3x$ (3) $-6x^2 - 17x + 9$

4 (1) $9x - 6y - 6$ (2) $6a - 6b$

5 풀이 참조

6 (1) $6a^2 + 3ab$ (2) $-3x^3 y + 6xy^2$ (3) $-4a^3 + 6a^2$

(4) $-3x^2 y - 6xy + 12x$

7 (1) $-3a - 5$ (2) $2xy + 1$

8 풀이 참조

9 (1) $-2x^3 + 14x$ (2) $2x^2 - 2xy$ (3) $-5x^2 + 10y + 5$

10 (1) $15x^2 - 5x$ (2) $10a^2 - 7ab$ (3) $-12a + 8$

(4) $25x^2 - 7x$

1 (1) $(5a + 3b) + (2a - 2b) = 5a + 3b + 2a - 2b$

$= 7a + b$

(2) $(3a - 2b) - (6a + 4b) = 3a - 2b - 6a - 4b$

$= -3a - 6b$

(3) $(7a + 2b) - (-4a + 5b) = 7a + 2b + 4a - 5b$

$= 11a - 3b$

(4) $(-4x + 7y) - 2(-x + 4y) = -4x + 7y + 2x - 8y$

$= -2x - y$

(5) $(3x + 2y - 1) - (2x - 3y - 2)$

$= 3x + 2y - 1 - 2x + 3y + 2$

$= x + 5y + 1$

2 $\dfrac{2x - 3y}{4} - \dfrac{3x - 2y}{5}$

$= \dfrac{\boxed{5}(2x - 3y) - \boxed{4}(3x - 2y)}{\boxed{20}}$

$= \dfrac{10x - 15y - 12x + 8y}{20}$

$= \dfrac{\boxed{-2}\,x - \boxed{7}\,y}{\boxed{20}}$

3 (1) $(2x^2+x-3)+(-2x^2-7x+1)$
$=2x^2+x-3-2x^2-7x+1$
$=-6x-2$

(2) $(5x^2-4x+3)-(-2x^2-x+3)$
$=5x^2-4x+3+2x^2+x-3$
$=7x^2-3x$

(3) $(1-x-2x^2)-4(x^2+4x-2)$
$=1-x-2x^2-4x^2-16x+8$
$=-6x^2-17x+9$

4 (1) $2x-\{6-(7x-6y)\}=2x-(6-7x+6y)$
$=2x-6+7x-6y$
$=9x-6y-6$

(2) $a-\{4b-2a-(3a-2b)\}$
$=a-(4b-2a-3a+2b)$
$=a-(-5a+6b)$
$=a+5a-6b$
$=6a-6b$

5 처음으로 틀린 부분은 ㉠이다.
바르게 계산하면
$2x^2+x-5-(x^2-2x+2)$
$=2x^2+x-5-x^2+2x-2$
$=2x^2-x^2+x+2x-5-2$
$=x^2+3x-7$

7 (1) $(-9a^2-15a)\div3a=(-9a^2-15a)\times\dfrac{1}{3a}$
$=-3a-5$

(2) $(10x^2y^2+5xy)\div5xy=(10x^2y^2+5xy)\times\dfrac{1}{5xy}$
$=2xy+1$

8 처음으로 틀린 부분은 ㉠이다.
바르게 계산하면
$(2x^2-8x)\div\left(-\dfrac{2}{3}x\right)$
$=(2x^2-8x)\times\left(-\dfrac{3}{2x}\right)$
$=2x^2\times\left(-\dfrac{3}{2x}\right)-8x\times\left(-\dfrac{3}{2x}\right)$
$=-3x+12$

9 (1) $(x^2-7)\div\left(-\dfrac{1}{2x}\right)=(x^2-7)\times(-2x)$
$=-2x^3+14x$

(2) $(xy-y^2)\div\dfrac{y}{2x}=(xy-y^2)\times\dfrac{2x}{y}$
$=2x^2-2xy$

(3) $(3x^3y-6xy^2-3xy)\div\left(-\dfrac{3}{5}xy\right)$
$=(3x^3y-6xy^2-3xy)\times\left(-\dfrac{5}{3xy}\right)$
$=-5x^2+10y+5$

10 (1) $-x(2-3x)-3x(-4x+1)$
$=-2x+3x^2+12x^2-3x$
$=15x^2-5x$

(2) $3a\left(3a-\dfrac{4}{3}b\right)+(2a^2b-6ab^2)\div2b$
$=9a^2-4ab+(2a^2b-6ab^2)\times\dfrac{1}{2b}$
$=9a^2-4ab+a^2-3ab$
$=10a^2-7ab$

(3) $\dfrac{16a-28a^2}{4a}-\dfrac{15a^2-12a}{3a}=4-7a-(5a-4)$
$=4-7a-5a+4$
$=-12a+8$

(4) $\dfrac{18x^3+6x^2}{2x}-(15x^2-24x^3)\div\dfrac{3}{2}x$
$=9x^2+3x-(15x^2-24x^3)\times\dfrac{2}{3x}$
$=9x^2+3x-10x+16x^2$
$=25x^2-7x$

교과서 기출 베스트 ①회 | 32쪽~33쪽

1 ⑤ **2** ③ **3** $4a$ **4** a^2-a+4

5 ①, ⑤ **6** $4a-2b+8$ **7** $8a^2b^2-6a^2b$

8 $4xy-3y+2$

1 $-2(2x+3y)+3(-x-y)=-4x-6y-3x-3y$
$$=-7x-9y$$
따라서 x의 계수는 -7, y의 계수는 -9이므로 구하는 합은
$$-7+(-9)=-16$$

2 $(7x^2+2x-5)-2(2x^2-3x+4)$
$$=7x^2+2x-5-4x^2+6x-8$$
$$=3x^2+8x-13$$

3 $2a-[3b-\{5a+b-(3a-2b)\}]$
$$=2a-\{3b-(5a+b-3a+2b)\}$$
$$=2a-\{3b-(2a+3b)\}$$
$$=2a-(3b-2a-3b)$$
$$=2a-(-2a)$$
$$=2a+2a=4a$$

4 어떤 식을 A라 하면
$$A-(3a^2-2a+1)=-5a^2+3a+2$$
$$\therefore A=(-5a^2+3a+2)+(3a^2-2a+1)$$
$$=-2a^2+a+3$$
따라서 바르게 계산하면
$$-2a^2+a+3+(3a^2-2a+1)=a^2-a+4$$

5 ② $-2x(3x+2y)=-6x^2-4xy$

③ $(8x^2-6x)\div\dfrac{1}{2}x=(8x^2-6x)\times\dfrac{2}{x}=16x-12$

④ $(14xy^2+21x)\div(-7x)$
$$=(14xy^2+21x)\times\left(-\dfrac{1}{7x}\right)$$
$$=-2y^2-3$$
따라서 옳은 것은 ①, ⑤이다.

6 $A\times\dfrac{1}{4}ab=a^2b-\dfrac{1}{2}ab^2+2ab$에서
$$A=\left(a^2b-\dfrac{1}{2}ab^2+2ab\right)\div\dfrac{1}{4}ab$$
$$=\left(a^2b-\dfrac{1}{2}ab^2+2ab\right)\times\dfrac{4}{ab}$$
$$=4a-2b+8$$

7 (직육면체의 부피)$=a\times 2b\times(4ab-3a)$
$$=2ab(4ab-3a)$$
$$=8a^2b^2-6a^2b$$

8 $(14x^2y-6xy)\div 2x-(9x^2y-6x)\times\dfrac{1}{3x}$
$$=(14x^2y-6xy)\times\dfrac{1}{2x}-(9x^2y-6x)\times\dfrac{1}{3x}$$
$$=7xy-3y-3xy+2$$
$$=4xy-3y+2$$

교과서 기출 베스트 ②회 | 34쪽~35쪽

1 (1) 7 (2) ⑤ **2** ② **3** ①

4 $12x-6$ **5** ⑤ **6** ②

7 $20xy^3-16y^2$ **8** ④

1 (1) $(-2x+y)-4(x-3y)=-2x+y-4x+12y$
$$=-6x+13y$$
따라서 $a=-6$, $b=13$이므로
$$a+b=-6+13=7$$

(2) $\dfrac{x-y}{2}-\dfrac{2x-y+1}{3}=\dfrac{3(x-y)-2(2x-y+1)}{6}$
$$=\dfrac{3x-3y-4x+2y-2}{6}$$
$$=\dfrac{-x-y-2}{6}$$
$$=-\dfrac{x+y+2}{6}$$

2 $(5x^2+2x+3)-4(x^2-2x+1)$
$=5x^2+2x+3-4x^2+8x-4$
$=x^2+10x-1$
따라서 x^2의 계수는 1, 상수항은 -1이므로 구하는 합은
$1+(-1)=0$

3 $4x^2-[x-2\{x+2x(3-4x)-3\}]$
$=4x^2-\{x-2(x+6x-8x^2-3)\}$
$=4x^2-\{x-2(-8x^2+7x-3)\}$
$=4x^2-(x+16x^2-14x+6)$
$=4x^2-(16x^2-13x+6)$
$=4x^2-16x^2+13x-6$
$=-12x^2+13x-6$

4 어떤 식을 A라 하면
$A+(3x^2-4x+2)=6x^2+4x-2$
$\therefore A=(6x^2+4x-2)-(3x^2-4x+2)$
$=6x^2+4x-2-3x^2+4x-2$
$=3x^2+8x-4$
따라서 바르게 계산하면
$3x^2+8x-4-(3x^2-4x+2)$
$=3x^2+8x-4-3x^2+4x-2$
$=12x-6$

5 ① $x(4x-1)=4x^2-x$
② $(4x^2-6x)\div(-2x)=(4x^2-6x)\times\left(-\dfrac{1}{2x}\right)$
$=-2x+3$
③ $(2x+6)\times\left(-\dfrac{x}{2}\right)=-x^2-3x$
④ $(5x^2+xy)\div\dfrac{1}{6}x=(5x^2+xy)\times\dfrac{6}{x}=30x+6y$
따라서 옳은 것은 ⑤이다.

6 $\boxed{}=(-12x^3y^2+8x^2y-2xy)\div\dfrac{2}{3}x$
$=(-12x^3y^2+8x^2y-2xy)\times\dfrac{3}{2x}$
$=-18x^2y^2+12xy-3y$

7 $15x^2y^4-12xy^3=\dfrac{3}{4}xy\times$ (세로의 길이)이므로
(세로의 길이)$=(15x^2y^4-12xy^3)\div\dfrac{3}{4}xy$
$=(15x^2y^4-12xy^3)\times\dfrac{4}{3xy}$
$=20xy^3-16y^2$

8 $\dfrac{10xy-4y^2}{2y}-\dfrac{9x^2+15xy}{3x}=5x-2y-(3x+5y)$
$=5x-2y-3x-5y$
$=2x-7y$
따라서 $a=2$, $b=-7$이므로
$a-b=2-(-7)=9$

✦ 4일 부등식의 뜻과 풀이(1)

시험지 속 개념 문제 | 39쪽, 41쪽

1 ③, ⑤	**2** ㉢, ㉣	**3** 1, 2	**4** 민준, 승우
5 ③	**6** ㉠, ㉢	**7** 연석	**8** ㉠, ㉢
9 ②			

10 (1) $x>4$, 그림은 풀이 참조　(2) $x\le-2$, 그림은 풀이 참조
(3) $x\ge-3$, 그림은 풀이 참조　(4) $x>3$, 그림은 풀이 참조
(5) $x<-4$, 그림은 풀이 참조

1 ① 일차식　② 등식　④ 일차방정식
따라서 부등식인 것은 ③, ⑤이다.

2 ㉠ $2x+3 \leq 10$

㉡ $x-3 \geq 4x$

㉢ $x+3000 \geq 20000$

따라서 문장을 부등식으로 나타낸 것으로 옳은 것은 ㉡, ㉢이다.

3 $x=1$일 때, $2 \times 1+5 > 3 \times 1+2$에서

$7 > 5$ (참)

$x=2$일 때, $2 \times 2+5 > 3 \times 2+2$에서

$9 > 8$ (참)

$x=3$일 때, $2 \times 3+5 > 3 \times 3+2$에서

$11 > 11$ (거짓)

$x=4$일 때, $2 \times 4+5 > 3 \times 4+2$에서

$13 > 14$ (거짓)

따라서 주어진 부등식의 해는 1, 2이다.

4 수아 : $2 \times \dfrac{1}{2}+1 < 4$에서 $2 < 4$ (참)

혜은 : $3 \times (-2) \leq -2+5$에서 $-6 \leq 3$ (참)

가은 : $3 \times \left(-\dfrac{3}{2}\right)+4 > 2 \times \left(-\dfrac{3}{2}\right)$에서 $-\dfrac{1}{2} > -3$ (참)

민준 : $-1+3 < 2 \times 1-4$에서 $2 < -2$ (거짓)

승우 : $7+3 \leq 8-2 \times 3$에서 $10 \leq 2$ (거짓)

따라서 부등식과 그 해를 바르게 가지고 있지 않은 학생은 민준, 승우이다.

5 ③ $a > b$에서 $-2a < -2b$

$\therefore -2a+7 < -2b+7$

6 ㉠ $3x-1 > 2$에서 $3x-3 > 0$이므로 일차부등식이다.

㉡ $x^2 \geq x-3$에서 $x^2-x+3 \geq 0$이므로 일차부등식이 아니다.

㉢ $3x+2 \leq 3x-5$에서 $7 \leq 0$이므로 일차부등식이 아니다.

㉣ $x^2+3x < x^2-2$에서 $3x+2 < 0$이므로 일차부등식이다.

따라서 일차부등식인 것은 ㉠, ㉣이다.

8 $-3x+1 \geq 10$의 양변에서 1을 빼면

$-3x \geq 9$

$-3x \geq 9$의 양변을 -3으로 나누면

$x \leq -3$

따라서 ㉮, ㉯에서 이용된 부등식의 성질은 차례대로 ㉠, ㉢이다.

9 $x-2 < 3x+6$에서 $-2x < 8$

$\therefore x > -4$

따라서 이를 수직선 위에 나타내면 ②와 같다.

10 (1) $x+2 > 6$에서 $x > 4$

따라서 해를 수직선 위에 나타내면 오른쪽 그림과 같다.

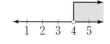

(2) $2x-5 \geq 6x+3$에서

$-4x \geq 8$ $\quad \therefore x \leq -2$

따라서 해를 수직선 위에 나타내면 오른쪽 그림과 같다.

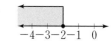

(3) $2x+7 \leq 4x+13$에서

$-2x \leq 6$ $\quad \therefore x \geq -3$

따라서 해를 수직선 위에 나타내면 오른쪽 그림과 같다.

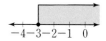

(4) $x-8 > -5x+10$에서

$6x > 18$ $\quad \therefore x > 3$

따라서 해를 수직선 위에 나타내면 오른쪽 그림과 같다.

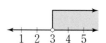

(5) $-4x+13 < -7x+1$에서

$3x < -12$ $\quad \therefore x < -4$

따라서 해를 수직선 위에 나타내면 오른쪽 그림과 같다.

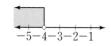

지아 : $x(x+5)>x^2-3$에서 $x^2+5x>x^2-3$

$\therefore 5x+3>0$

즉, 일차부등식이다.

따라서 일차부등식을 말한 학생은 석현, 지아이다.

교과서 기출 베스트 ①회 | 42쪽~43쪽

1 ①	**2** ③	**3** ㉠, ㉢	**4** ④
5 ②	**6** 석현, 지아	**7** ④	**8** ④

1 (시간)$=\dfrac{(거리)}{(속력)}$이므로

$\dfrac{x}{60}\leq 2$

2 ① $2-3>5$에서 $-1>5$ (거짓)

② $2-1\leq -2\times 2$에서 $1\leq -4$ (거짓)

③ $5+2\geq -3\times 2$에서 $7\geq -6$ (참)

④ $-2-3<-5$에서 $-5<-5$ (거짓)

⑤ $5\times 2-6>2\times 2+3$에서 $4>7$ (거짓)

따라서 $x=2$가 해인 것은 ③이다.

3 ㉡ $\dfrac{a}{c}>\dfrac{b}{c}$ ㉣ $a-c<b-c$

따라서 옳은 것은 ㉠, ㉢이다.

4 $-4a+3>-4b+3$에서 $-4a>-4b$ $\therefore a<b$

② $a<b$에서 $\dfrac{a}{2}<\dfrac{b}{2}$

③ $a<b$에서 $a-7<b-7$

⑤ $a<b$에서 $5a<5b$ $\therefore 5a+3<5b+3$

따라서 옳은 것은 ④이다.

6 정우 : $x+4<x+2$에서 $2<0$

즉, 일차부등식이 아니다.

석현 : $2x+3(1-x)\geq 2x+5$에서

$2x+3-3x\geq 2x+5$ $\therefore -3x-2\geq 0$

즉, 일차부등식이다.

근영 : $4x+2=5x+1$에서 $-x+1=0$

즉, 일차방정식이다.

나연 : 일차식이다.

7 ① $3x+15>0$에서 $3x>-15$

$\therefore x>-5$

② $x-1<2x+4$에서 $-x<5$

$\therefore x>-5$

③ $5x>4x-5$에서 $x>-5$

④ $3x+5>2$에서 $3x>-3$

$\therefore x>-1$

⑤ $-\dfrac{x}{5}<1$에서 $x>-5$

따라서 해가 나머지 넷과 다른 하나는 ④이다.

8 $x+5<3x+4$에서 $-2x<-1$

$\therefore x>\dfrac{1}{2}$

따라서 주어진 부등식을 만족하는 가장 작은 정수 x의 값은 1이다.

교과서 기출 베스트 ②회 | 44쪽~45쪽

1 ④	**2** ⑤	**3** ③	**4** ⑤
5 ②	**6** ⑤	**7** ③	**8** 10

1 ① $9(x+2)<20$ ② $7x\geq 5000$

③ $10x>80$ ⑤ $a\geq 18$

따라서 문장을 부등식으로 나타낸 것으로 옳은 것은 ④이다.

2 ① $2-2>4$에서 $0>4$ (거짓)

② $4\times 3-2<9$에서 $10<9$ (거짓)

③ $-(-1)\leq 4\times (-1)$에서 $1\leq -4$ (거짓)

④ $2\times (-2)-1\geq -3$에서 $-5\geq -3$ (거짓)

⑤ $-2\times 2+4<1$에서 $0<1$ (참)

따라서 [ ] 안의 수가 주어진 부등식의 해인 것은 ⑤이다.

3 ① $a+3 \geq b+3$ ② $a-2 \geq b-2$

④ $-a-6 \leq -b-6$ ⑤ $\frac{2}{3}a-4 \geq \frac{2}{3}b-4$

따라서 옳은 것은 ③이다.

4 $1-2a < 1-2b$에서 $-2a < -2b$

$\therefore a > b$

② $a > b$에서 $-\frac{a}{7} < -\frac{b}{7}$

③ $a > b$에서 $4a > 4b$

$\therefore 4a+5 > 4b+5$

④ $a > b$에서 $-3a < -3b$

$\therefore -3a+1 < -3b+1$

따라서 옳은 것은 ⑤이다.

5 $x \leq 1$에서 $-2x \geq -2$

$3-2x \geq 1$ $\therefore A \geq 1$

6 ① x항이 없으므로 일차부등식이 아니다.

② 일차방정식이다.

③ $3x-5 > 3x+1$에서 $-6 > 0$이므로 일차부등식이 아니다.

④ x^2항이 있으므로 일차부등식이 아니다.

⑤ $x^2+x-2 \leq x^2-2x+1$에서 $3x-3 \leq 0$이므로 일차부등식이다.

따라서 일차부등식인 것은 ⑤이다.

7 $-3x+11 \leq -6x+2$에서 $3x \leq -9$

$\therefore x \leq -3$

따라서 이를 수직선 위에 나타내면 ③과 같다.

8 $7x-9 < 8+3x$에서 $4x < 17$

$\therefore x < \frac{17}{4}$

따라서 주어진 부등식을 만족하는 자연수 x의 값은 1, 2, 3, 4이므로 구하는 합은

$1+2+3+4=10$

5일 부등식의 풀이(2)와 활용

시험지 속 **개념 문제** | 49쪽, 51쪽

1 ③   **2** ⑤

3 (1) $x < 3$, 그림은 풀이 참조   (2) $x \leq 2$, 그림은 풀이 참조

(3) $x > 4$, 그림은 풀이 참조   (4) $x \leq -4$, 그림은 풀이 참조

(5) $x \leq 3$, 그림은 풀이 참조   (6) $x < 2$, 그림은 풀이 참조

4 1, 2, 3   **5** 9개   **6** $\frac{6}{5}$ km   **7** 8 cm

1 $3(x-6) < -2(x+1)+9$에서

$3x-18 < -2x-2+9$, $5x < 25$

$\therefore x < 5$

이를 수직선 위에 나타내면 ③과 같다.

2 ⑤ $-9x \leq 18$의 양변을 -9로 나누면

$x \geq -2$

3 (1) $2(x-4) < 1-x$에서

$2x-8 < 1-x$, $3x < 9$

$\therefore x < 3$

따라서 해를 수직선 위에 나타내면 오른쪽 그림과 같다.

(2) $6(x-2)+4\geq-12+8x$에서

$6x-12+4\geq-12+8x$, $-2x\geq-4$

$\therefore x\leq2$

따라서 해를 수직선 위에 나타내면 오른쪽 그림과 같다.

(3) $0.3x+1<0.5x+0.2$의 양변에 10을 곱하면

$3x+10<5x+2$, $-2x<-8$

$\therefore x>4$

따라서 해를 수직선 위에 나타내면 오른쪽 그림과 같다.

(4) $\dfrac{x}{4}-\dfrac{x-2}{3}>1$의 양변에 분모의 최소공배수 12를 곱하면

$3x-4(x-2)\geq12$, $3x-4x+8\geq12$

$-x\geq4$　$\therefore x\leq-4$

따라서 해를 수직선 위에 나타내면 오른쪽 그림과 같다.

(5) $\dfrac{4}{3}x+\dfrac{1}{2}\geq\dfrac{5}{2}x-3$의 양변에 분모의 최소공배수 6을 곱하면

$8x+3\geq15x-18$, $-7x\geq-21$

$\therefore x\leq3$

따라서 해를 수직선 위에 나타내면 오른쪽 그림과 같다.

(6) $\dfrac{1}{4}x+0.8>x-0.7$에서

$\dfrac{1}{4}x+\dfrac{4}{5}>x-\dfrac{7}{10}$

양변에 분모의 최소공배수 20을 곱하면

$5x+16>20x-14$, $-15x>-30$

$\therefore x<2$

따라서 해를 수직선 위에 나타내면 오른쪽 그림과 같다.

4 어떤 자연수를 x라 하면

$4x-6<10$, $4x<16$

$\therefore x<4$

따라서 구하는 자연수는 1, 2, 3이다.

5 사과의 개수를 x라 하면 귤의 개수는 $15-x$이므로

$1200x+700(15-x)\leq15000$

$1200x+10500-700x\leq15000$

$500x\leq4500$　　$\therefore x\leq9$

따라서 사과는 최대 9개까지 살 수 있다.

6 집에서 도서관까지의 거리를 x km라 하면

$\dfrac{x}{2}+\dfrac{x}{3}\leq1$, $3x+2x\leq6$

$5x\leq6$　　$\therefore x\leq\dfrac{6}{5}$

따라서 집에서 도서관까지의 거리는 최대 $\dfrac{6}{5}$ km이다.

7 삼각형의 높이를 x cm라 하면

$\dfrac{1}{2}\times10\times x\geq40$

$5x\geq40$　　$\therefore x\geq8$

따라서 삼각형의 높이는 8 cm 이상이다.

| **1** ③ | **2** ③ | **3** ② | **4** 4 |
| **5** -7 | **6** ① | **7** 4송이 | **8** ② |

1 $-3(x-1)\geq2x-12$에서 $-3x+3\geq2x-12$

$-5x\geq-15$　　$\therefore x\leq3$

따라서 주어진 부등식을 만족하는 자연수 x는 1, 2, 3의 3개이다.

2 $0.15x-0.3\leq0.12x-0.24$의 양변에 100을 곱하면

$15x-30\leq12x-24$, $3x\leq6$

$\therefore x\leq2$

3 $\dfrac{x-1}{2}\leq\dfrac{x+1}{3}$의 양변에 분모의 최소공배수 6을 곱하면

$3(x-1)\leq 2(x+1)$, $3x-3\leq 2x+2$

$\therefore x\leq 5$

따라서 주어진 부등식을 만족하는 가장 큰 정수는 5이다.

4 $-\dfrac{1}{2}x+a>1$에서 $-\dfrac{1}{2}x>1-a$

$\therefore x<2a-2$

이 부등식의 해가 $x<6$이므로

$2a-2=6$, $2a=8$ $\therefore a=4$

5 $\dfrac{x}{3}-\dfrac{x-1}{2}\geq 1$의 양변에 분모의 최소공배수 6을 곱하면

$2x-3(x-1)\geq 6$, $2x-3x+3\geq 6$

$-x\geq 3$ $\therefore x\leq -3$

$2+6x\geq 10x-2a$에서 $-4x\geq -2a-2$

$\therefore x\leq\dfrac{a+1}{2}$

따라서 $\dfrac{a+1}{2}=-3$이므로 $a+1=-6$

$\therefore a=-7$

6 석민이가 네 번째 시험에서 x점을 받는다고 하면

$\dfrac{85+84+89+x}{4}\geq 87$

$258+x\geq 348$ $\therefore x\geq 90$

따라서 네 번째 시험에서 90점 이상을 받아야 한다.

7 장미를 x송이 산다고 하면

$2000x>1200x+2400$

$800x>2400$ $\therefore x>3$

따라서 장미를 4송이 이상 살 경우 도매 시장에서 사는 것이 유리하다.

8 x km까지 갔다가 온다고 하면

$\dfrac{x}{3}+\dfrac{1}{2}+\dfrac{x}{4}\leq 4$, $4x+6+3x\leq 48$

$7x\leq 42$ $\therefore x\leq 6$

따라서 최대 6 km까지 갔다가 오면 된다.

교과서 **기출 베스트 2**회				54쪽~55쪽
1 ③	2 3	3 ④	4 ④	
5 ②	6 92점	7 4개	8 9 km	

1 ③ $2x+2>3x-1$에서

$2x-3x>-1-2$

$-x>-3$ $\therefore x<3$

2 $0.2(5x-2)>0.3x+1$의 양변에 10을 곱하면

$2(5x-2)>3x+10$, $10x-4>3x+10$

$7x>14$ $\therefore x>2$

따라서 주어진 부등식을 만족하는 가장 작은 정수는 3이다.

3 $\dfrac{2}{3}x-1\leq\dfrac{4x+3}{5}$의 양변에 분모의 최소공배수 15를 곱하면

$10x-15\leq 3(4x+3)$, $10x-15\leq 12x+9$

$-2x\leq 24$ $\therefore x\geq -12$

따라서 이를 수직선 위에 나타내면 ④와 같다.

4 $\dfrac{x}{4}-\dfrac{x-1}{3}\geq a$의 양변에 분모의 최소공배수 12를 곱하면

$3x-4(x-1)\geq 12a$, $3x-4x+4\geq 12a$

$-x\geq 12a-4$ $\therefore x\leq 4-12a$

이 부등식의 해가 $x \le -20$이므로

$4-12a=-20, \ -12a=-24$ $\quad \therefore a=2$

5 $0.3x+2 \le 0.1x+1.4$의 양변에 10을 곱하면

$3x+20 \le x+14, \ 2x \le -6$ $\quad \therefore x \le -3$

$7(x-1) \le 5(x-a)-3$에서

$7x-7 \le 5x-5a-3, \ 2x \le -5a+4$

$\therefore x \le \dfrac{-5a+4}{2}$

따라서 $\dfrac{-5a+4}{2} = -3$이므로

$-5a+4=-6, \ -5a=-10$

$\therefore a=2$

6 이번 수학 시험에서 x점을 받는다고 하면

$\dfrac{82+91+95+x}{4} \ge 90$

$268+x \ge 360$ $\quad \therefore x \ge 92$

따라서 이번 수학 시험에서 92점 이상을 받아야 한다.

7 음료수를 x개 산다고 하면

$1000x > 500x+1600$

$500x > 1600$ $\quad \therefore x > \dfrac{16}{5}$

따라서 음료수를 4개 이상 살 경우 할인 매장에서 사는 것이 유리하다.

8 갈 때 걸은 거리를 x km라 하면 올 때 걸은 거리는
$(x+1)$ km이므로

$\dfrac{x}{4} + \dfrac{x+1}{6} \le \dfrac{11}{6}, \ 3x+2(x+1) \le 22$

$3x+2x+2 \le 22, \ 5x \le 20$

$\therefore x \le 4$

따라서 혜정이가 갈 때 걸은 거리는 최대 4 km, 올 때 걸은 거리는 최대 5 km이므로 혜정이가 총 걸은 거리는 최대
$4+5=9$(km)

누구나 **100점 테스트** **1**회 | 56쪽~57쪽

1 ⑤	**2** ④	**3** ①, ②	**4** 하영
5 ③	**6** 사, 과	**7** ⑤	**8** ④
9 $3x-8y+7$		**10** $a=-2, b=4$	

1 ① $0.232323\cdots = 0.\dot{2}\dot{3}$

② $1.777\cdots = 1.\dot{7}$

③ $2.432432432\cdots = 2.\dot{4}3\dot{2}$

④ $2.572572572\cdots = 2.\dot{5}7\dot{2}$

따라서 순환소수의 표현으로 옳은 것은 ⑤이다.

2 ① $\dfrac{7}{12} = \dfrac{7}{2^2 \times 3}$ ② $\dfrac{2}{18} = \dfrac{1}{9} = \dfrac{1}{3^2}$

③ $\dfrac{3}{2^2 \times 3^2} = \dfrac{1}{2^2 \times 3}$ ④ $\dfrac{6}{2^3 \times 3} = \dfrac{1}{2^2}$

⑤ $\dfrac{3}{2^2 \times 3^2 \times 5} = \dfrac{1}{2^2 \times 3 \times 5}$

따라서 유한소수로 나타낼 수 있는 것은 ④이다.

3 $\dfrac{15}{2 \times 5 \times a} = \dfrac{3}{2 \times a}$에 a의 값을 각각 대입하면 다음과 같다.

① $\dfrac{3}{2 \times 3} = \dfrac{1}{2}$ ② $\dfrac{3}{2 \times 5}$

③ $\dfrac{3}{2 \times 7}$ ④ $\dfrac{3}{2 \times 9} = \dfrac{1}{2 \times 3}$

⑤ $\dfrac{3}{2 \times 11}$

따라서 a의 값이 될 수 없는 것은 ①, ②이다.

4 $x=0.\dot{8}\dot{5}=0.858585\cdots$이므로

$\quad 100x=85.858585\cdots$

$\underline{-) \quad\quad x= \ \ 0.858585\cdots}$

$\quad\quad 99x=85$

$$\therefore x = \frac{85}{99}$$

따라서 가장 편리한 식을 가지고 있는 학생은 하영이다.

5 ① 순환소수는 무한소수이다.

② 유리수 중 순환소수는 무한소수이다.

④ 정수가 아닌 유리수는 유한소수 또는 순환소수로 나타낼 수 있다.

⑤ 유한소수로 나타낼 수 있는 기약분수는 분모의 소인수가 2 또는 5뿐이다.

따라서 옳은 것은 ③이다.

6 우 : $a^5 \times a^2 = a^7$

주 : $a^{12} \div a^6 = a^6$

명 : $\left(-\dfrac{x}{2}\right)^5 = -\dfrac{x^5}{32}$

따라서 바르게 계산한 식에 써 있는 글자는 사, 과이다.

7 ① $9ab^2 \div \dfrac{1}{3}a = 9ab^2 \times \dfrac{3}{a} = 27b^2$

② $3x(2x-4y) = 6x^2 - 12xy$

③ $(5a-3b)+(3a+2b) = 8a-b$

④ $(-8a^2+12ab^2) \div 4a = -2a + 3b^2$

따라서 옳은 것은 ⑤이다.

8 $2x - [3y - \{5x - (x-4y)\}]$

$= 2x - \{3y - (5x - x + 4y)\}$

$= 2x - \{3y - (4x + 4y)\}$

$= 2x - (3y - 4x - 4y)$

$= 2x - (-4x - y)$

$= 2x + 4x + y = 6x + y$

따라서 x의 계수는 6, y의 계수는 1이므로 구하는 합은 $6+1=7$

9 어떤 식을 A라 하면

$(x-3y+2)+A = -x+2y-3$

$\therefore A = (-x+2y-3) - (x-3y+2)$

$\quad\quad = -x+2y-3 -x +3y -2$

$\quad\quad = -2x + 5y - 5$

따라서 바르게 계산하면

$(x-3y+2) - (-2x+5y-5)$

$= x - 3y + 2 + 2x - 5y + 5$

$= 3x - 8y + 7$

10 $(4x^4y^2 - 8x^3y^4) \div 4x^2y^2 - (x - 2y^2) \times 3x$

$= (4x^4y^2 - 8x^3y^4) \times \dfrac{1}{4x^2y^2} - (3x^2 - 6xy^2)$

$= x^2 - 2xy^2 - (3x^2 - 6xy^2)$

$= x^2 - 2xy^2 - 3x^2 + 6xy^2$

$= -2x^2 + 4xy^2$

$\therefore a = -2, \ b = 4$

누구나 100점 테스트 2회 | 58쪽~59쪽

1 ②	**2** 서우	**3** ②	**4** ②, ⑤
5 ③	**6** ③	**7** ⑤	**8** ②
9 29개	**10** 96점		

1 ㉡ $2x \geq 4$

㉣ $2x + 3 < 13$

따라서 옳은 것은 ㉠, ㉢이다.

2 주영 : $2-5 \geq -1$에서 $-3 \geq -1$ (거짓)

재범 : $4 \times 2 - 1 \leq 4$에서 $7 \leq 4$ (거짓)

서우 : $2 \times (2-2) \leq 2$에서 $0 \leq 2$ (참)

미연 : $-(2 \times 2 + 1) \geq 5 - 2$에서 $-5 \geq 3$ (거짓)

현승 : $4 \times 2 - 15 \geq 2 + 6$에서 $-7 \geq 8$ (거짓)

따라서 $x = 2$를 해로 갖는 부등식이 적힌 카드를 가지고 있는 학생은 서우이다.

3 ① $a<b$에서 $a-7<b-7$

③ $a<b$에서 $-\dfrac{a}{2}>-\dfrac{b}{2}$

④ $a<b$에서 $2a<2b$

$\therefore 2a-5<2b-5$

⑤ $a<b$에서 $-a>-b$

$\therefore -a+3>-b+3$

따라서 옳은 것은 ②이다.

4 ① $4x-2\le 4(x-1)$에서 $4x-2\le 4x-4$

$\therefore 2\le 0$

즉, x항이 없으므로 일차부등식이 아니다.

② $x^2+5x>x^2$에서 $5x>0$이므로 일차부등식이다.

③ $2x-1=6x-2$에서 $-4x+1=0$

즉, 일차방정식이다.

④ x^2항이 있으므로 일차부등식이 아니다.

⑤ $4-3x\ge x$에서 $4-4x\ge 0$이므로 일차부등식이다.

따라서 일차부등식인 것은 ②, ⑤이다.

5 $3x+7<x+11$에서 $2x<4$

$\therefore x<2$

따라서 이를 수직선 위에 나타내면 ③과 같다.

6 $-4x+12>-x+3$에서 $-3x>-9$

$\therefore x<3$

따라서 주어진 부등식을 만족하는 가장 큰 정수 x의 값은 2이다.

7 $\dfrac{x-2}{2}-\dfrac{2x-1}{3}\le -1$의 양변에 분모의 최소공배수 6을 곱하면

$3(x-2)-2(2x-1)\le -6$

$3x-6-4x+2\le -6$

$-x\le -2$ $\therefore x\ge 2$

8 $0.2(5x-3)\le 0.3x+1$의 양변에 10을 곱하면

$2(5x-3)\le 3x+10$

$10x-6\le 3x+10$

$7x\le 16$ $\therefore x\le \dfrac{16}{7}$

따라서 주어진 부등식을 만족하는 자연수 x는 1, 2이므로 구하는 합은

$1+2=3$

9 한 번에 x개의 상자를 운반한다고 하면

$65+15x\le 500$

$15x\le 435$ $\therefore x\le 29$

따라서 한 번에 최대 29개의 상자를 운반할 수 있다.

10 세 번째 수학 시험에서 x점을 받는다고 하면

$\dfrac{88+86+x}{3}\ge 90$

$174+x\ge 270$ $\therefore x\ge 96$

따라서 세 번째 수학 시험에서 96점 이상을 받아야 한다.

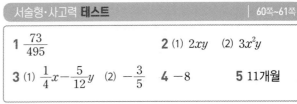

서술형·사고력 테스트 | 60쪽~61쪽

1 $\dfrac{73}{495}$	**2** (1) $2xy$ (2) $3x^2y$
3 (1) $\dfrac{1}{4}x-\dfrac{5}{12}y$ (2) $-\dfrac{3}{5}$ **4** -8	**5** 11개월

1 $0.1\dot{4}\dot{7}$을 x라 하면

$x=0.1474747\cdots$ ······ ㉠ ······ (가)

㉠의 양변에 1000을 곱하면

$1000x=147.474747\cdots$ ······ ㉡

㉠의 양변에 10을 곱하면

$10x=1.474747\cdots$ ······ ㉢ ······ (나)

ⓛ−ⓒ을 하면

$$1000x = 147.474747\cdots$$
$$-\underline{)\quad 10x = \quad 1.474747\cdots}$$
$$990x = 146$$

$$\therefore x = \frac{146}{990} = \frac{73}{495} \qquad \cdots\cdots \text{(다)}$$

채점 기준	비율
(가) $x = 0.1474747\cdots$로 놓기	20 %
(나) $1000x$, $10x$의 값 구하기	40 %
(다) x를 기약분수로 나타내기	40 %

2 (1) $6x^3y^2 \times A = 12x^4y^3$

$$\therefore A = 12x^4y^3 \div 6x^3y^2 = 2xy \qquad \cdots\cdots \text{(가)}$$

(2) $6x^3y^2 \div 2xy = 3x^2y \qquad \cdots\cdots \text{(나)}$

채점 기준	비율
(가) 어떤 다항식 A 구하기	50 %
(나) 바르게 계산한 답 구하기	50 %

3 (1) $\dfrac{3x-y}{6} - \dfrac{x+y}{4} = \dfrac{2(3x-y)-3(x+y)}{12}$

$$= \frac{6x-2y-3x-3y}{12}$$

$$= \frac{3x-5y}{12}$$

$$= \frac{1}{4}x - \frac{5}{12}y \qquad \cdots\cdots \text{(가)}$$

(2) $a = \dfrac{1}{4}$, $b = -\dfrac{5}{12}$이므로

$$\frac{a}{b} = \frac{1}{4} \div \left(-\frac{5}{12}\right)$$

$$= \frac{1}{4} \times \left(-\frac{12}{5}\right) = -\frac{3}{5} \qquad \cdots\cdots \text{(나)}$$

채점 기준	비율
(가) $\dfrac{3x-y}{6} - \dfrac{x+y}{4}$를 간단히 하기	60 %
(나) $\dfrac{a}{b}$의 값 구하기	40 %

4 $0.5x + 2.3 > 0.2x + 1.1$의 양변에 10을 곱하면

$$5x + 23 > 2x + 11, \ 3x > -12$$

$$\therefore x > -4 \qquad \cdots\cdots \text{(가)}$$

$\dfrac{2x-1}{3} > \dfrac{x+a}{4}$의 양변에 분모의 최소공배수 12를 곱하면

$$4(2x-1) > 3(x+a), \ 8x-4 > 3x+3a$$

$$5x > 3a+4 \qquad \therefore x > \frac{3a+4}{5} \qquad \cdots\cdots \text{(나)}$$

따라서 $\dfrac{3a+4}{5} = -4$이므로 $3a+4 = -20$

$$3a = -24 \qquad \therefore a = -8 \qquad \cdots\cdots \text{(다)}$$

채점 기준	비율
(가) 일차부등식 $0.5x+2.3 > 0.2x+1.1$의 해 구하기	40 %
(나) 일차부등식 $\dfrac{2x-1}{3} > \dfrac{x+a}{4}$의 해 구하기	40 %
(다) a의 값 구하기	20 %

5 x개월 후부터 누나의 예금액이 동생의 예금액보다 많아진다고 하면

$$10000 + 3000x > 20000 + 2000x \qquad \cdots\cdots \text{(가)}$$

$$1000x > 10000 \qquad \therefore x > 10 \qquad \cdots\cdots \text{(나)}$$

따라서 11개월 후부터 누나의 예금액이 동생의 예금액보다 많아진다. $\qquad \cdots\cdots \text{(다)}$

채점 기준	비율
(가) 일차부등식 세우기	40 %
(나) 일차부등식의 해 구하기	40 %
(다) 몇 개월 후부터 누나의 예금액이 동생의 예금액보다 많아지는지 구하기	20 %

창의·융합·코딩 테스트 | 62쪽~63쪽

1 풀이 참조   **2** 세호, 소희, $8x$ **3** $3x+5y+7$

4 (1) 옳지 않다. (2) 풀이 참조 (3) 풀이 참조

5 240 m

90 7일 끝 중 2-1 중간

1 분수를 유한소수로 나타낼 수 있는지 판별할 때, 먼저 기약분수로 나타낸 후 분모를 소인수분해해야 한다.

따라서 $\dfrac{3}{60}=\dfrac{1}{20}=\dfrac{1}{2^2\times5}$ 이므로 유한소수로 나타낼 수 있다.

2 $12x^2\div\dfrac{3}{2}x=12x^2\times\dfrac{2}{3x}$

$\qquad\qquad=\left(12\times\dfrac{2}{3}\right)\times\left(x^2\times\dfrac{1}{x}\right)$

$\qquad\qquad=8x$

연아 : $\dfrac{3}{2}x$의 역수는 $\dfrac{2}{3x}$이므로 ㉠은 틀렸다.

지석 : ㉢은 옳지만 답은 틀렸다.

따라서 바르게 말한 학생은 세호, 소희이고, 바르게 계산한 결과는 $8x$이다.

3 (i) $(3x+2y-1)+(-2x-6y+10)=x-4y+9$

(ii) $(3x+2y-1)+(8x-2y-5)=11x-6$

(iii) $(5x-y+3)+(-2x-6y+10)=3x-7y+13$

(iv) $(5x-y+3)+(8x-2y-5)=13x-3y-2$

4 (2) $4-3a>4-3b$에서 $-3a>-3b$

$\quad\therefore a<b$

따라서 a가 b보다 작다.

(3) 부등식의 양변에 같은 수를 더하거나 양변에서 같은 수를 빼도 부등호의 방향은 바뀌지 않는다.

부등식의 양변에 같은 음수를 곱하거나 양변을 같은 음수로 나누면 부등호의 방향이 바뀐다.

5 집에서 마트까지의 거리를 x m라 하면

$\dfrac{x}{60}+10+\dfrac{x}{40}\leq20,\ 2x+1200+3x\leq2400$

$5x\leq1200\qquad\therefore x\leq240$

따라서 집에서 240 m 이내에 있는 마트를 이용하면 된다.

7일

중간고사 **기본 테스트 ❶회** │64쪽~67쪽

1 ③	**2** ③	**3** ㉡	**4** ③
5 ⑤	**6** 4	**7** ①	**8** ③
9 ②	**10** ⑤	**11** ③	**12** ⑤
13 ③	**14** ③	**15** ②	**16** ②
17 ④	**18** 3		
19 (1) $4x^2+10x-4$ (2) $3x^2+13x-6$		**20** 11개	

2 ③ $C=25$

3 ㉠ $\dfrac{3}{8}=\dfrac{3}{2^3}$ $\qquad$ ㉡ $\dfrac{5}{18}=\dfrac{5}{2\times3^2}$

㉢ $\dfrac{36}{300}=\dfrac{3}{25}=\dfrac{3}{5^2}$ $\quad$ ㉣ $\dfrac{91}{2^2\times5\times13}=\dfrac{7}{2^2\times5}$

㉤ $\dfrac{63}{504}=\dfrac{1}{8}=\dfrac{1}{2^3}$

따라서 순환소수로 나타내어지는 것은 ㉡이다.

4 ③ 순환마디는 05이다.

5 린아 : 순환하지 않는 무한소수는 유리수가 아니다.

소율 : 모든 기약분수는 유한소수 또는 순환소수로 나타낼 수 있다.

아연 : 순환하지 않는 무한소수는 유리수가 아니다.

따라서 바르게 설명한 학생은 현석, 주리이다.

6 $0.8\dot{7}654\dot{3}$에서 소수점 아래 순환하지 않는 숫자는 1개이고, 순환마디를 이루는 숫자는 7, 6, 5, 4, 3의 5개이므로 소수점 아래 100번째 자리의 숫자는 소수점 아래 첫째 자리의 숫자를 제외하고 순환하는 부분의 99번째 숫자와 같다.

이때 $99=5\times19+4$이므로 소수점 아래 100번째 자리의 숫자는 순환마디의 4번째 숫자인 4이다.

7
① $10-\square=5$ ∴ $\square=5$
② $2\times\square=6$ ∴ $\square=3$
③ $3+\square=7$ ∴ $\square=4$
④ $\square=3$
⑤ $9+\square-9=2$ ∴ $\square=2$
따라서 $\square$ 안에 들어갈 수가 가장 큰 것은 ①이다.

8
③ $4x\times\left(-\dfrac{5}{2}x\right)^2=4x\times\dfrac{25}{4}x^2=25x^3$
④ $\left(\dfrac{3}{2}a^2b\right)^2\times\left(-\dfrac{b}{3a}\right)^2=\dfrac{9}{4}a^4b^2\times\dfrac{b^2}{9a^2}=\dfrac{a^2b^4}{4}$
⑤ $(-3x^2y^2)^2\times5xy^3=9x^4y^4\times5xy^3=45x^5y^7$
따라서 옳지 않은 것은 ③이다.

9 $\dfrac{5}{2}a^2\times($밑면의 세로의 길이$)\times8b=80a^4b^7$이므로
$($밑면의 세로의 길이$)=80a^4b^7\div\dfrac{5}{2}a^2\div8b$
$\qquad\qquad\qquad\qquad=80a^4b^7\times\dfrac{2}{5a^2}\times\dfrac{1}{8b}=4a^2b^6$

10 $4^5\times4^5\times4^5\times4^5\times4^5=4^{5+5+5+5+5}=4^{25}$이므로
$x=25$
$4^5+4^5+4^5+4^5=4\times4^5=4^6$이므로
$y=6$
∴ $x-y=25-6=19$

11 $\dfrac{a+b}{3}-\dfrac{2a-b}{4}=\dfrac{4(a+b)-3(2a-b)}{12}$
$\qquad\qquad\qquad=\dfrac{4a+4b-6a+3b}{12}$
$\qquad\qquad\qquad=\dfrac{-2a+7b}{12}$
$\qquad\qquad\qquad=-\dfrac{1}{6}a+\dfrac{7}{12}b$
따라서 a의 계수는 $-\dfrac{1}{6}$, b의 계수는 $\dfrac{7}{12}$이므로 구하는
합은 $-\dfrac{1}{6}+\dfrac{7}{12}=\dfrac{5}{12}$

12 $6x-[2x-y-\{5x-2y-3(x-y)\}]$
$=6x-\{2x-y-(5x-2y-3x+3y)\}$
$=6x-\{2x-y-(2x+y)\}$
$=6x-(2x-y-2x-y)$
$=6x-(-2y)$
$=6x+2y$

13
㉠ $2\times3-1\leq4$에서 $5\leq4$ (거짓)
㉡ $2\times3-1\geq3$에서 $5\geq3$ (참)
㉢ $3-3<2$에서 $0<2$ (참)
㉣ $3-1<2\times3-6$에서 $2<0$ (거짓)
따라서 $x=3$이 해인 것은 ㉡, ㉢이다.

14
① $a-b<0$
② $a=-5$, $b=1$일 때, $a<b$이지만 $a^2>b^2$이다.
④ $c<0$이면 $ac>bc$
⑤ $-\dfrac{a}{2}>-\dfrac{b}{2}$
따라서 옳은 것은 ③이다.

15 $2(5-x)<6x-14$에서 $10-2x<6x-14$
$-8x<-24$ ∴ $x>3$
이를 수직선 위에 나타내면 ②와 같다.

16 $-\dfrac{1}{2}(x+3)>0.3x-1$의 양변에 10을 곱하면
$-5(x+3)>3x-10$, $-5x-15>3x-10$
$-8x>5$ ∴ $x<-\dfrac{5}{8}$
따라서 주어진 부등식을 만족하는 가장 큰 정수는 -1
이다.

17 아이스크림의 개수를 x라 하면 빵의 개수는 $14-x$이므로

$$1200(14-x)+1500x\leq20000$$

$$16800-1200x+1500x\leq20000$$

$$300x\leq3200 \qquad \therefore x\leq\frac{32}{3}$$

따라서 아이스크림은 최대 10개까지 살 수 있다.

채점 기준	비율
㈎ 일차부등식 세우기	40 %
㈏ 일차부등식의 해 구하기	40 %
㈐ 초콜릿을 몇 개 이상 살 경우 할인 매장에서 사는 것이 유리한지 구하기	20 %

1 ②	**2** ②	**3** ④	**4** ④
5 ④	**6** ③	**7** ④	**8** ④
9 ①	**10** ④	**11** ①	**12** ④
13 ⑤	**14** ②	**15** ⑤	**16** ④
17 ②	**18** 7	**19** $-a-4b+8$	
20 6			

18 $\dfrac{21}{72}\times x=\dfrac{7}{24}\times x=\dfrac{7}{2^3\times3}\times x$가 유한소수가 되려면 x
는 3의 배수이어야 한다. ······ ㈎
따라서 구하는 가장 작은 자연수는 3이다. ······ ㈏

채점 기준	비율
㈎ x의 값의 조건 구하기	50 %
㈏ x의 값이 될 수 있는 가장 작은 자연수 구하기	50 %

1 주연 : 순환소수 $0.2979797\cdots$은 $0.2\dot{9}\dot{7}$로 나타낼 수 있다.
현희 : 순환소수 $0.135135135\cdots$는 $0.\dot{1}3\dot{5}$로 나타낼 수 있다.
따라서 바르게 설명한 학생은 성규, 승기이다.

19 (1) $A+(x^2-3x+2)=5x^2+7x-2$

$\therefore A=(5x^2+7x-2)-(x^2-3x+2)$

$=5x^2+7x-2-x^2+3x-2$

$=4x^2+10x-4$ ······ ㈎

(2) $4x^2+10x-4-(x^2-3x+2)$

$=4x^2+10x-4-x^2+3x-2$

$=3x^2+13x-6$ ······ ㈏

채점 기준	비율
㈎ 어떤 다항식 A 구하기	50 %
㈏ 바르게 계산한 답 구하기	50 %

2 ② $\dfrac{6}{2\times3\times5}=\dfrac{1}{5}$ ③ $\dfrac{5}{2^2\times5\times7}=\dfrac{1}{2^2\times7}$

④ $\dfrac{15}{2\times3^2\times5}=\dfrac{1}{2\times3}$ ⑤ $\dfrac{20}{2\times5\times11}=\dfrac{2}{11}$

따라서 유한소수로 나타낼 수 있는 것은 ②이다.

3 $\dfrac{5}{24}\times a=\dfrac{5}{2^3\times3}\times a$가 유한소수가 되려면 a는 3의 배수
이어야 한다.
이때 a는 한 자리의 자연수이므로
$a=3,\ 6,\ 9$
따라서 구하는 합은
$3+6+9=18$

20 초콜릿을 x개 산다고 하면

$$1000x>800x+2000 \qquad \cdots\cdots ㈎$$

$$200x>2000 \qquad \therefore x>10 \qquad \cdots\cdots ㈏$$

따라서 초콜릿을 11개 이상 살 경우 할인 매장에서 사는 것이 유리하다. ······ ㈐

4 ① 100 ② $506.666\cdots$

③ 900 ⑤ $\dfrac{38}{75}$

따라서 옳은 것은 ④이다.

5 ① $x^{14} \div x^2 = x^{12}$

② $(x^2)^6 \times x = x^{12} \times x = x^{13}$

③ $\left(\dfrac{y^2}{x}\right)^4 = \dfrac{y^8}{x^4}$

④ $(a^2)^{10} \div (a^4)^5 = a^{20} \div a^{20} = 1$

⑤ $(-2ab^2)^3 = -8a^3b^6$

따라서 옳은 것은 ④이다.

6 $(4xy)^2 \div \left(-\dfrac{2}{3}y^4\right) \div 6x^3y$

$= 16x^2y^2 \times \left(-\dfrac{3}{2y^4}\right) \times \dfrac{1}{6x^3y}$

$= -\dfrac{4}{xy^3}$

7 $\left(\dfrac{3x^a}{y}\right)^b = \dfrac{3^b x^{ab}}{y^b} = \dfrac{9x^6}{y^c}$이므로

$3^b = 9$, $ab = 6$, $b = c$

따라서 $a = 3$, $b = 2$, $c = 2$이므로

$a + b + c = 3 + 2 + 2 = 7$

8 $(4x^2 + x - 3) - 3(2x^2 + 5x - 6)$

$= 4x^2 + x - 3 - 6x^2 - 15x + 18$

$= -2x^2 - 14x + 15$

따라서 $A = -2$, $B = -14$, $C = 15$이므로

$A - B + C = -2 - (-14) + 15 = 27$

9 $2(x + ay) + (2x - 5y)$

$= 2x + 2ay + 2x - 5y$

$= 4x + (2a - 5)y$

따라서 $2a - 5 = -7$이므로

$2a = -2$ $\quad \therefore a = -1$

10 어떤 식을 A라 하면

$A + (2x^2 - 3x + 5) = -x^2 + 4x + 4$

$\therefore A = (-x^2 + 4x + 4) - (2x^2 - 3x + 5)$

$\quad = -x^2 + 4x + 4 - 2x^2 + 3x - 5$

$\quad = -3x^2 + 7x - 1$

따라서 구하는 답은

$(-3x^2 + 7x - 1) - (-x^2 + x + 6)$

$= -3x^2 + 7x - 1 + x^2 - x - 6$

$= -2x^2 + 6x - 7$

11 ① $-4 \times (-3) - 1 \geq 7$에서 $11 \geq 7$ (참)

② $2 \times (-2) - 3 < -7$에서 $-7 < -7$ (거짓)

③ $3 \times 2 + 2 \leq 6$에서 $8 \leq 6$ (거짓)

④ $-5 + 3 > -1$에서 $-2 > -1$ (거짓)

⑤ $5 \times 0 \geq 3 \times 0 + 4$에서 $0 \geq 4$ (거짓)

따라서 [ ] 안의 수가 주어진 부등식의 해인 것은 ①이다.

12 $5a - 2 \leq 5b - 2$에서 $5a \leq 5b$ $\quad \therefore a \leq b$

② $a \leq b$에서 $a + 1 \leq b + 1$

③ $a \leq b$에서 $4a \leq 4b$ $\quad \therefore 4a - 3 \leq 4b - 3$

④ $a \leq b$에서 $-\dfrac{a}{3} \geq -\dfrac{b}{3}$ $\quad \therefore 5 - \dfrac{a}{3} \geq 5 - \dfrac{b}{3}$

⑤ $a \leq b$에서 $a + 3 \leq b + 3$ $\quad \therefore -\dfrac{a+3}{2} \geq -\dfrac{b+3}{2}$

따라서 옳지 않은 것은 ④이다.

13 ① $7x = 8 - 6x$에서 $13x - 8 = 0$

즉, 일차방정식이다.

② $x^2 + 3x < 1 - x^2$에서 $2x^2 + 3x - 1 < 0$

즉, x^2항이 있으므로 일차부등식이 아니다.

③ $4(x - 2) \geq x^2 - 3$에서

$4x - 8 \geq x^2 - 3$ $\quad \therefore -x^2 + 4x - 5 \geq 0$

즉, x^2항이 있으므로 일차부등식이 아니다.

④ $3(2x + 5) > -2(4 - 3x)$에서

$6x + 15 > -8 + 6x$ $\quad \therefore 23 > 0$

즉, x항이 없으므로 일차부등식이 아니다.

⑤ $4x^2-3x+7\leq2(x+2x^2)-5$에서

$4x^2-3x+7\leq2x+4x^2-5$

∴ $-5x+12\leq0$

즉, 일차부등식이다.

따라서 일차부등식인 것은 ⑤이다.

14 $2-2x\leq a$에서 $-2x\leq a-2$

∴ $x\geq\dfrac{2-a}{2}$

이 부등식의 해가 $x\geq2$이므로

$\dfrac{2-a}{2}=2$, $2-a=4$

∴ $a=-2$

15 $7x+4\geq9x+2a$에서 $-2x\geq2a-4$

∴ $x\leq-a+2$

$\dfrac{x}{3}-\dfrac{x+1}{4}\leq\dfrac{1}{6}$의 양변에 분모의 최소공배수12를 곱하면

$4x-3(x+1)\leq2$, $4x-3x-3\leq2$

∴ $x\leq5$

따라서 $-a+2=5$이므로

$a=-3$

17 4단원 수학 형성평가에서 x점을 받는다고 하면

$\dfrac{72+85+84+x}{4}\geq80$

$241+x\geq320$ ∴ $x\geq79$

따라서 4단원 수학 형성평가에서 79점 이상을 받아야 한다.

18 $(a^4)^3\times a^x=a^{12}\times a^x=a^{12+x}=a^{16}$이므로

$12+x=16$ ∴ $x=4$ ······ (가)

$a^x\times a^5\div(a^2)^y=a^4\times a^5\div a^{2y}=a^9\div a^{2y}=a^3$이므로

$9-2y=3$, $-2y=-6$

∴ $y=3$ ······ (나)

∴ $x+y=4+3=7$ ······ (다)

채점 기준	비율
(가) x의 값 구하기	30 %
(나) y의 값 구하기	50 %
(다) $x+y$의 값 구하기	20 %

19 $A=(20a^2-24ab+16a)\div4a$

$=5a-6b+4$ ······ (가)

$B=(9a^2b-3ab^2-6ab)\div\dfrac{3}{2}ab$

$=(9a^2b-3ab^2-6ab)\times\dfrac{2}{3ab}$

$=6a-2b-4$ ······ (나)

∴ $A-B=(5a-6b+4)-(6a-2b-4)$

$=5a-6b+4-6a+2b+4$

$=-a-4b+8$ ······ (다)

채점 기준	비율
(가) A를 간단히 하기	30 %
(나) B를 간단히 하기	40 %
(다) $A-B$를 계산하기	30 %

20 $-4(x-3)\geq2(x+1)-11$에서

$-4x+12\geq2x+2-11$

$-6x\geq-21$ ∴ $x\leq\dfrac{7}{2}$ ······ (가)

따라서 주어진 부등식을 만족하는 자연수 x의 값은 1, 2, 3이므로 구하는 합은

$1+2+3=6$ ······ (나)

채점 기준	비율
(가) 일차부등식 풀기	60 %
(나) 주어진 부등식을 만족하는 모든 자연수 x의 값의 합 구하기	40 %

핵심 정리 01 순환소수

(1) 유한소수와 무한소수

① 유한소수 : 소수점 아래에 ❶▢이 아닌 숫자가 유한 번 나타나는 소수

[예] 0.75, 2.841

② 무한소수 : 소수점 아래에 ❷▢이 아닌 숫자가 무한히 많은 소수

[예] 0.444⋯, 0.010101⋯

(2) 순환소수

① 순환소수 : 무한소수 중에서 소수점 아래의 어떤 자리에서부터 일정한 숫자의 배열이 한없이 되풀이되는 소수

② 순환마디 : 순환소수에서 소수점 아래의 숫자의 배열이 ❸▢ 가장 짧은 한 부분

답 ❶ 0 ❷ 0 ❸ 되풀이되는

핵심 정리 02 유한소수 판별 방법

(1) 유한소수로 나타낼 수 있는 유리수

정수가 아닌 유리수를 기약분수로 나타낸 후 분모를 소인수분해하였을 때, 분모의 소인수가 2나 ❶▢ 뿐인 유리수

(2) 순환소수로 나타내어지는 유리수

정수가 아닌 유리수를 기약분수로 나타낸 후 분모를 소인수분해하였을 때, 분모가 2나 5 이외의 소인수를 가지는 유리수

[참고] 유한소수인지 순환소수인지 판단하기

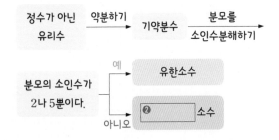

답 ❶ 5 ❷ 순환

핵심 정리 03 순환소수를 분수로 나타내기

(1) 순환소수를 분수로 나타내기

[방법 1] 순환소수를 분수로 나타내는 원리

❶ 순환소수를 x로 놓는다.

❷ 등식의 양변에 ❶▢의 거듭제곱을 곱하여 소수점 아래의 부분이 같은 두 식을 만든다.

❸ 두 식을 변끼리 빼서 x의 값을 구한다.

[방법 2] 순환소수를 분수로 나타내는 공식

❶ 분모 : 순환마디의 숫자의 개수만큼 ❷▢를 쓰고, 그 뒤에 소수점 아래에 순환하지 않는 숫자의 개수만큼 0을 쓴다.

❷ 분자 : (전체의 수)−(순환하지 않는 부분의 수)

(2) 유리수와 소수의 관계

① 정수가 아닌 유리수는 유한소수 또는 순환소수로 나타낼 수 있다.

② 유한소수와 순환소수는 모두 ❸▢이다.

답 ❶ 10 ❷ 9 ❸ 유리수

핵심 정리 04 지수법칙 (1)

m, n이 자연수일 때,

(1) $a^m \times a^n = a^{❶▢}$

[예] $a^2 \times a^3 = a^{2+3} = a^5$

[주의] ① $a^4 \times a^3 = a^{4 \times 3} = a^{12}$ (✕)

$\rightarrow a^4 \times a^3 = a^{4+3} = a^7$ (◯)

② $a^4 + a^3 = a^{4+3} = a^7$ (✕) ← $a^4 + a^3$은 더 이상 간단히 할 수 없다.

(2) $(a^m)^n = a^{❷▢}$

[예] $(a^2)^3 = a^{2 \times 3} = a^6$

[주의] $(a^4)^3 = a^{4+3} = a^7$ (✕)

$\rightarrow (a^4)^3 = a^{4 \times 3} = a^{12}$ (◯)

답 ❶ $m+n$ ❷ mn

예 1

아래 **보기** 에서 다음을 구하시오.

> **보기**
>
> ㉠ $\dfrac{1}{4}$ ㉡ $\dfrac{21}{30}$ ㉢ $\dfrac{13}{2^2 \times 3^2}$
>
> ㉣ $\dfrac{10}{2 \times 3 \times 5^2}$ ㉤ $\dfrac{6}{2 \times 3 \times 5^2}$

(1) 유한소수로 나타낼 수 있는 것

→ ㉠ $\dfrac{1}{4} = \dfrac{1}{2^2}$ ㉡ $\dfrac{21}{30} = \dfrac{7}{10} = \dfrac{7}{2 \times 5}$

　㉤ $\dfrac{6}{2 \times 3 \times 5^2} = \boxed{❶}$

(2) 순환소수로만 나타내어지는 것

→ ㉢ $\dfrac{13}{2^2 \times \mathbf{3^2}}$
　└─ 분모에 소인수 3이 있다.

　㉣ $\dfrac{10}{2 \times 3 \times 5^2} = \dfrac{1}{\mathbf{3} \times 5}$
　└─ 분모에 소인수 $\boxed{❷}$ 이 있다.

답 ❶ $\dfrac{1}{5^2}$ ❷ 3

예 1

다음 **보기** 에서 유한소수와 무한소수를 각각 모두 고르시오.

> **보기**
>
> ㉠ 1.555⋯ ㉡ 0.33333333
>
> ㉢ 2.171717⋯ ㉣ 3.16222

→ 유한소수 : $\boxed{❶}$, ㉣

　무한소수 : ㉠, ㉢

예 2

순환소수 7.9797979⋯의 순환마디로 옳은 것은?

① 79　　② 97　　③ 797

④ 979　　⑤ 7979

→ 7.9797979⋯ = $\boxed{❷}$ 의 순환마디는 ② 97이다.

답 ❶ ㉡ ❷ $7.\dot{9}\dot{7}$

예 1

다음 식을 간단히 하시오.

(1) $5^4 \times 5$　　　　(2) $x^3 \times x^6 \times x$

(3) $a^5 \times a^3 \times b^2$　　(4) $(a^3)^2 \times (a^4)^5$

(5) $(x^3)^4 \times (y^2)^3 \times x^5$

→ (1) $5^4 \times 5 = 5^{4+1} = 5^5$

　(2) $x^3 \times x^6 \times x = x^{3+6+1} = x^{10}$

　(3) $a^5 \times a^3 \times b^2 = a^{5+3} \times b^2 = a^{\boxed{❶}} b^2$

　(4) $(a^3)^2 \times (a^4)^5 = a^{3\times2} \times a^{4\times5}$

　　　　　　　　　　$= a^6 \times a^{20}$

　　　　　　　　　　$= a^{6+20} = a^{26}$

　(5) $(x^3)^4 \times (y^2)^3 \times x^5 = x^{3\times4} \times y^{2\times3} \times x^5$

　　　　　　　　　　$= x^{12} \times y^6 \times x^5$

　　　　　　　　　　$= x^{12+5} \times y^6$

　　　　　　　　　　$= x^{\boxed{❷}} y^6$

답 ❶ 8 ❷ 17

예 1

다음은 순환소수 $0.7\dot{4}\dot{2}$를 분수로 나타내는 과정이다. □ 안에 알맞은 것을 써넣으시오.

> $x = 0.7\dot{4}\dot{2} = 0.74242\cdots$ 로 놓으면
>
> $\boxed{①}\ x = 742.424242\cdots$　　　　⋯⋯ ㉠
>
> $\boxed{②}\ x = 7.424242\cdots$　　　　　⋯⋯ ㉡
>
> ㉠－㉡을 하면 $\boxed{③}\ x = \boxed{④}$
>
> ∴ $x = \boxed{⑤}$

→ ① 1000　② 10　③ 990　④ 735　⑤ $\dfrac{\boxed{❶}}{66}$

예 2

다음 □ 안에 알맞은 수를 써넣으시오.

(1) $0.3\dot{8} = \dfrac{38-3}{\square}$　　(2) $1.\dot{4}\dot{5} = \dfrac{145-\square}{99}$

→ (1) 90　　　　(2) $\boxed{❷}$

답 ❶ 49 ❷ 1

핵심 정리 05 지수법칙(2)

$a \neq 0$이고 m, n이 자연수일 때

$$a^m \div a^n = \begin{cases} a^{\boxed{\textbf{❶}}} & (m > n) \\ 1 & (\boxed{\textbf{❷}}) \\ \dfrac{1}{a^{\boxed{\textbf{❸}}}} & (m < n) \end{cases}$$

[예] $a^2 \div a^3 = \dfrac{1}{a^{3-2}} = \dfrac{1}{a}$

[주의] ① $a^6 \div a^2 = a^{6 \div 2} = a^3$ (×)

$\rightarrow a^6 \div a^2 = a^{6-2} = a^4$ (○)

② $a^6 \div a^6 = a^{6 \div 6} = a$ (×)

$\rightarrow a^6 \div a^6 = 1$ (○)

답 ❶ $m-n$ ❷ $m=n$ ❸ $n-m$

핵심 정리 06 지수법칙(3)

m이 자연수일 때

(1) $(ab)^m = a^m b^{\boxed{\textbf{❶}}}$

[예] $(-ab)^3 = (-1)^3 \times a^3 \times b^3 = -a^3 b^3$

[주의] $(2x)^3 = 2x^3$ (×)

$\rightarrow (2x)^3 = 2^3 \times x^3 = 8x^3$ (○)

(2) $\left(\dfrac{a}{b}\right)^m = \dfrac{a^{\boxed{\textbf{❷}}}}{b^{\boxed{\textbf{❸}}}}$ (단, $b \neq 0$)

[예] $\left(-\dfrac{ab^2}{2}\right)^3 = (-1)^3 \times \dfrac{(ab^2)^3}{2^3} = -\dfrac{a^3 b^6}{8}$

[주의] $\left(\dfrac{x}{2}\right)^2 = \dfrac{x^2}{2}$ (×)

$\rightarrow \left(\dfrac{x}{2}\right)^2 = \dfrac{x^2}{2^2} = \dfrac{x^2}{4}$ (○)

답 ❶ m ❷ m ❸ m

핵심 정리 07 단항식의 곱셈

계수는 계수끼리, 문자는 문자끼리 곱하여 계산한다.

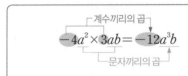

$$\underbrace{-4a^2 \times 3ab}_{\text{문자끼리의 곱}} \overset{\text{계수끼리의 곱}}{=} -12a^3 b$$

[예] $4a \times 2b = 4 \times a \times 2 \times b$

$= 4 \times 2 \times a \times b$

$= (\boxed{\textbf{❶}}) \times (a \times b)$

$= \boxed{\textbf{❷}}$

괄호가 있는 경우에는
괄호를 먼저 푼 다음 계산한다.

답 ❶ 4×2 ❷ $8ab$

핵심 정리 08 단항식의 나눗셈

나눗셈을 역수의 $\boxed{\textbf{❶}}$ 으로 바꿔서 계수는 계수끼리, 문자는 문자끼리 계산한다.

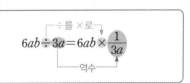

$$6ab \div 3a \overset{\div \text{를} \times \text{로}}{=} 6ab \times \dfrac{1}{3a}$$
역수

[예] $(3xy)^3 \div 3x^2 y$

$= 27x^3 y^3 \times \dfrac{1}{3x^2 y}$

$= 27 \times \dfrac{1}{3} \times x^3 y^3 \times \dfrac{1}{x^2 y}$

$= \boxed{\textbf{❷}}$

$6ab \div 3a = \dfrac{6ab}{3a}$ 로
계산할 수도 있어.

답 ❶ 곱셈 ❷ $9xy^2$

예 1

다음 식을 간단히 하시오.

(1) $(x^2y)^4$ (2) $(-2a^2b^3)^3$

(3) $\left(\dfrac{2x}{y}\right)^3$ (4) $\left(-\dfrac{ab^2}{3}\right)^4$

→ (1) $(x^2y)^4 = x^{2\times4}\times y^4 = x^8y^4$

(2) $(-2a^2b^3)^3 = (-2)^3 \times a^{2\times3} \times b^{3\times3}$
$= \boxed{\textbf{❶}}\,a^6b^9$

(3) $\left(\dfrac{2x}{y}\right)^3 = \dfrac{2^3 \times x^3}{y^3} = \dfrac{8x^3}{y^3}$

(4) $\left(-\dfrac{ab^2}{3}\right)^4 = (-1)^4 \times \dfrac{a^4 \times b^{2\times4}}{3^4} = \boxed{\textbf{❷}}$

답 ❶ -8 ❷ $\dfrac{a^4b^8}{81}$

예 1

다음 식을 간단히 하시오.

(1) $3^8 \div 3^6$ (2) $(a^2)^4 \div a^3$

(3) $(x^2)^3 \div (x^3)^4$ (4) $(x^7)^2 \div (x^3)^3 \div x^6$

→ (1) $3^8 \div 3^6 = 3^{8-6} = 3^2$

(2) $(a^2)^4 \div a^3 = a^8 \div a^3 = a^{8-3} = a^5$

(3) $(x^2)^3 \div (x^3)^4 = x^6 \div x^{12} = \dfrac{1}{x^{12-6}} = \boxed{\textbf{❶}}$

(4) $(x^7)^2 \div (x^3)^3 \div x^6 = x^{14} \div x^9 \div x^6$
$= x^{14-9} \div x^6 = x^5 \div x^6$
$= \dfrac{1}{x^{\boxed{\textbf{❷}}}} = \dfrac{1}{x}$

답 ❶ $\dfrac{1}{x^6}$ ❷ $6-5$

예 1

다음 식을 계산하시오.

(1) $35a^5 \div 7a^3$ (2) $(-5xy)^2 \div 5xy$

(3) $xy^2 \div \dfrac{2}{3}y$ (4) $9a^3b \div \dfrac{3}{4}b^4 \times ab^3$

→ (1) $35a^5 \div 7a^3 = \dfrac{35a^5}{7a^3} = 5a^2$

(2) $(-5xy)^2 \div 5xy = \dfrac{25x^2y^2}{5xy} = 5xy$

(3) $xy^2 \div \dfrac{2}{3}y = xy^2 \times \boxed{\textbf{❶}} = \dfrac{3}{2}xy$

(4) $9a^3b \div \dfrac{3}{4}b^4 \times ab^3 = 9a^3b \times \dfrac{4}{3b^4} \times ab^3$
$= \dfrac{36a^4b^4}{3b^4}$
$= \boxed{\textbf{❷}}$

답 ❶ $\dfrac{3}{2y}$ ❷ $12a^4$

예 1

다음 식을 계산하시오.

(1) $4ab \times (-2a)$ (2) $-3x^2 \times (2x)^3$

(3) $5x^2y \times (x^2y^3)^2$ (4) $(3xy)^3 \times (-x^3y)^2$

→ (1) $4ab \times (-2a) = -8a^2b$

(2) $-3x^2 \times (2x)^3 = -3x^2 \times 8x^3$
$= \boxed{\textbf{❶}}$

(3) $5x^2y \times (x^2y^3)^2 = 5x^2y \times x^4y^6$
$= \boxed{\textbf{❷}}$

(4) $(3xy)^3 \times (-x^3y)^2 = 27x^3y^3 \times x^6y^2$
$= 27x^9y^5$

답 ❶ $-24x^5$ ❷ $5x^6y^7$

(1) **다항식의 덧셈과 뺄셈**

괄호가 있으면 괄호를 먼저 풀고, <u>❶   </u> 끼리 모아서 간단히 한다.

[예] $(2a+3b)+2(2a-b)$ 괄호를 푼다.

$\quad =2a+3b+4a-2b$ 동류항끼리 모은다.

$\quad =2a+4a+3b-2b$ 동류항끼리 계산한다.

$\quad =6a+b$

(2) **이차식의 덧셈과 뺄셈**

① **이차식** : 다항식의 각 항의 차수 중 가장 큰 차수가 ❷   인 다항식

② 이차식의 덧셈과 뺄셈도 괄호가 있으면 괄호를 먼저 풀고, 동류항끼리 모아서 계산한다.

답 ❶ 동류항 ❷ 2

---

(1) 분배법칙을 이용하여 단항식을 다항식의 각 항에 곱하여 계산한다.

[예] $2x(x+3y)=2x\times x+2x\times$ <u>❶   </u>

$\qquad\qquad =2x^2+6xy$

[주의] $-2x(x-4y)=-2x^2+8xy$

음수를 곱할 땐 부호에 주의해.

(2) **전개** : 단항식과 다항식의 곱셈을 분배법칙을 이용하여 하나의 <u>❷   </u> 으로 나타내는 것

$$\underset{\text{전개식}}{3a(2a+b)\overset{\text{전개}}{=}6a^2+3ab}$$

답 ❶ $3y$ ❷ 다항식

나눗셈을 역수의 곱셈으로 바꿔서 계산한다.

$$\underset{\text{❶}}{(6a^2+4a)\div 2a}\overset{\div\text{를}\times\text{로}}{=}(6a^2+4a)\times\frac{1}{2a}$$

[예] $(4x^2-2xy)\div\dfrac{1}{2}x=(4x^2-2xy)\times\dfrac{2}{x}$

$\qquad\qquad\qquad\quad =$ <u>❷   </u>

$(6a^2+4a)\div 2a=\dfrac{6a^2+4a}{2a}$

$\qquad\qquad\quad =\dfrac{6a^2}{2a}+\dfrac{4a}{2a}=3a+2$

로 계산할 수도 있어.

답 ❶ 역수 ❷ $8x-4y$

---

(1) **부등식** : 부등호 $<$, $>$, $\leq$, $\geq$ 를 사용하여 수 또는 식의 대소 관계를 나타낸 식

부등식의 예	부등식이 아닌 예
$3x-2\geq 5$	$2x-4$
$x<2x-1$	$x+1=100$

(2) **부등식의 해** : 부등식이 참이 되게 하는 미지수의 값을 그 부등식의 <u>❶   </u> 라 하고, 부등식의 해를 모두 구하는 것을 <u>❷   </u> 고 한다.

답 ❶ 해 ❷ 부등식을 푼다

예 1

다음 식을 전개하시오.

(1) $2x(-x+3)$

(2) $(xy+5x) \times (-2x)$

(3) $a(3a^2+a-4)$

→ (1) $2x(-x+3) = 2x \times (-x) + 2x \times 3$

$= \boxed{\text{❶}}$

(2) $(xy+5x) \times (-2x)$

$= xy \times (-2x) + 5x \times (-2x)$

$= \boxed{\text{❷}}$

(3) $a(3a^2+a-4) = a \times 3a^2 + a \times a - a \times 4$

$= 3a^3 + a^2 - 4a$

답 ❶ $-2x^2+6x$ ❷ $-2x^2y-10x^2$

예 1

다음 식을 계산하시오.

(1) $(5x^2-3x-2)+(-2x^2-2x+7)$

(2) $(3a+2b)-(2a-4b)$

→ (1) $(5x^2-3x-2)+(-2x^2-2x+7)$

$= 5x^2-3x-2-2x^2-2x+7$

$= \boxed{\text{❶}}$

(2) $(3a+2b)-(2a-4b)$

$= 3a+2b-2a+4b$

$= \boxed{\text{❷}}$

답 ❶ $3x^2-5x+5$ ❷ $a+6b$

예 1

다음 중 부등식이 <u>아닌</u> 것을 모두 고르면? (정답 2개)

① $x+3<-6$ ② $2x-1$

③ $2-7<-1$ ④ $6-3x=2x-1$

⑤ $x^2+3x+1 \le x^2-2x+5$

→ $\boxed{\text{❶}}$, ④

예 2

다음 **보기** 의 부등식 중 $x=3$일 때 참이 되는 것을 모두 고르시오.

보기
㉠ $2x-2>4$ ㉡ $-x+6 \le 1$
㉢ $-4x+7 \ge -5$ ㉣ $9-4x<2$

→ ㉢, $\boxed{\text{❷}}$

답 ❶ ② ❷ ㉣

예 1

다음 식을 계산하시오.

(1) $(18x^4y^2-9x^2y) \div 3xy$

(2) $(2x^2y^2-3xy^2) \div \frac{1}{3}xy$

→ (1) $(18x^4y^2-9x^2y) \div 3xy$

$= (18x^4y^2-9x^2y) \times \boxed{\text{❶}}$

$= 18x^4y^2 \times \frac{1}{3xy} - 9x^2y \times \frac{1}{3xy}$

$= 6x^3y-3x$

(2) $(2x^2y^2-3xy^2) \div \frac{1}{3}xy$

$= (2x^2y^2-3xy^2) \times \frac{3}{xy}$

$= 2x^2y^2 \times \frac{3}{xy} - 3xy^2 \times \frac{3}{xy}$

$= \boxed{\text{❷}}$

답 ❶ $\frac{1}{3xy}$ ❷ $6xy-9y$

핵심 정리 13   부등식의 성질

$a<b$일 때

(1) $a+c<b+c$, $a-c$ $\boxed{\text{❶}}$ $b-c$

(2) $c>0$이면 ac $\boxed{\text{❷}}$ bc, $\dfrac{a}{c}<\dfrac{b}{c}$

(3) $c<0$이면 $ac>bc$, $\dfrac{a}{c}>\dfrac{b}{c}$

부등호의 방향이 바뀐다.

예) $a<b$일 때

$a+2<b+2$

$a-3<b-3$

$-\dfrac{a}{4}$ $\boxed{\text{❸}}$ $-\dfrac{b}{4}$

부등식에서 음수가
나오면 항상 주의해야 해!

답 ❶ < ❷ < ❸ >

핵심 정리 14   일차부등식의 뜻

부등식의 우변에 있는 모든 항을 좌변으로 이항하여 정리한 식이

(일차식)>0, (일차식)<0, (일차식)≥0, (일차식)≤0 중 어느 하나의 꼴로 나타나는 부등식을

$\boxed{\text{❶}}$ 이라 한다.

예)

일차부등식의 예

$3x+5<2$

$x^2-3x>x+x^2$ ➡ $-4x>0$

일차부등식이 아닌 예

$2x-1<1+2x$ ➡ $-2<0$

$4x+5$

$x^2-2x+1\leq0$

답 ❶ 일차부등식

핵심 정리 15   일차부등식의 풀이

(1) 미지수를 포함한 항은 좌변으로, 상수항은 우변으로 이항한 후 $\boxed{\text{❶}}$ 끼리 정리하여 푼다.

예) 일차부등식 $2x-6>-x+3$의 풀이

❶ 미지수를 포함한 항은 좌변으로, 상수항은 우변으로 이항하기

➡ $2x+x>3+6$

❷ 동류항끼리 정리하여 $ax>b$ (단, $a\neq0$)의 꼴로 고치기

➡ $3x>9$

❸ 부등식의 성질을 이용하여 부등식의 해 구하기 ➡ $x>$ $\boxed{\text{❷}}$

(2) **괄호가 있는 일차부등식의 풀이**

분배법칙을 이용하여 괄호를 풀어 정리한 후 일차부등식을 푼다.

답 ❶ 동류항 ❷ 3

핵심 정리 16   복잡한 일차부등식의 풀이

양변에 적당한 수를 곱하여 계수를 모두 정수로 바꾼 후 일차부등식을 푼다.

예) 일차부등식 $\dfrac{x-1}{3}-\dfrac{3x}{2}<2$의 풀이

❶ 양변에 적당한 수를 곱하여 계수를 정수로 바꾸기

➡ 양변에 $\boxed{\text{❶}}$ 을 곱하면

$\left(\dfrac{x-1}{3}-\dfrac{3x}{2}\right)\times6<2\times6$

$2x-2-9x<12$

❷ 이항하여 동류항끼리 정리하기

➡ $2x-9x<12+2$

$-7x<14$

❸ 부등식의 해 구하기

➡ x $\boxed{\text{❷}}$ -2

답 ❶ 6 ❷ >

예 1

다음 보기 에서 일차부등식인 것을 모두 고르시오.

> **보기**
> ㉠ $3x+1 \leq -2$ ㉡ $2x+3 \geq x-1$
> ㉢ $2x-1 < 3+2x$ ㉣ $x^2-x > 2$

→ ㉠ $3x+3 \leq 0$이므로 $\boxed{①\qquad\qquad}$.

㉡ $x+4 \geq 0$이므로 일차부등식이다.

㉢ $-4 < 0$이므로 일차부등식이 아니다.

㉣ $x^2-x-2 > 0$이므로 $\boxed{②\qquad\qquad}$.

따라서 일차부등식인 것은 ㉠, ㉡이다.

답 ❶ 일차부등식이다 ❷ 일차부등식이 아니다

예 1

$a < b$일 때, 다음 □ 안에 알맞은 부등호를 써넣으시오.

(1) $3a-2 \ \square \ 3b-2$

(2) $-a+2 \ \square \ -b+2$

(3) $\dfrac{a}{4}-3 \ \square \ \dfrac{b}{4}-3$

(4) $-\dfrac{2}{3}a+1 \ \square \ -\dfrac{2}{3}b+1$

→ (1) $<$ (2) $>$ (3) $\boxed{①\quad}$ (4) $\boxed{②\quad}$

답 ❶ $<$ ❷ $>$

예 1

일차부등식 $-0.4x+1.2 < 0.1x-1.3$을 푸시오.

→ $-0.4x+1.2 < 0.1x-1.3$ ⟩ 양변에 10을 곱한다.

$-4x+12 < \boxed{①\quad} -13$

$-4x-x < -13-12$

$-5x < -25$

$\therefore x > 5$

예 2

일차부등식 $\dfrac{x}{4} - \dfrac{x+2}{3} > 1$을 푸시오.

→ $\dfrac{x}{4} - \dfrac{x+2}{3} > 1$ ⟩ 양변에 4, 3의 최소공배수 12를 곱한다.

$3x - 4(x+2) > 12$

$3x-4x-8 > 12$

$3x-4x > 12+8$

$-x > 20$

$\therefore x \boxed{②\quad} -20$

답 ❶ x ❷ $<$

예 1

일차부등식 $2x-3 \geq 5x+6$을 푸시오.

→ $2x-3 \geq 5x+6$

$2x-5x \geq 6+3$

$-3x \geq 9$

$\therefore x \boxed{①\quad} -3$

예 2

일차부등식 $3-4(x+1) > 5(x-2)$를 푸시오.

→ $3-4(x+1) > 5(x-2)$ ⟩ 괄호를 푼다.

$3-4x-4 > 5x - \boxed{②\quad}$

$-4x-1 > 5x-10$

$-4x-5x > -10+1$

$-9x > -9$

$\therefore x < 1$

답 ❶ $\leq$ ❷ 10

book.chunjae.co.kr

교재 내용 문의	⋯⋯⋯⋯⋯⋯	교재 홈페이지 ▶ 중등 ▶ 교재상담
교재 내용 외 문의	⋯⋯⋯⋯⋯	교재 홈페이지 ▶ 고객센터 ▶ 1:1문의
발간 후 발견되는 오류	⋯⋯⋯⋯	교재 홈페이지 ▶ 중등 ▶ 학습지원 ▶ 학습자료실

천재교육

7일 끝

중간고사 기말고사

7일 끝으로 끝내자!

중학 수학 2-1

BOOK 2

기말고사대비

천재교육

언제나 만점이고 싶은 친구들

Welcome!

숨 돌릴 틈 없이 찾아오는 시험과 평가.
성적과 입시 그리고 미래에 대한 걱정.
중·고등학교에서 보내는 6년이란 시간은
매때로 힘들고, 버겁게 느껴지곤 해요.

그런데 여러분, 그거 아세요?
지금 이 시기가 노력의 대가를
가장 잘 확인할 수 있는 시간이라는 걸요.

안 돼, 못하겠어, 해도 안 될 텐데—
이렇게 생각하지 말아요. 천재교육이 있잖아요.
첫 시작의 두려움을 첫 마무리의 뿌듯함으로 바꿔줄게요.

펜을 쥐고 이 책을 펼친 순간
여러분 앞에 무한한 가능성의 길이 열렸어요.

우리와 함께 꽃길을 향해 걸어가 볼까요?

#시험대비
#핵심정복

**7일 끝
중간고사
기말고사**

Chunjae
Makes
Chunjae

저자	최용준, 해법수학연구회
제작	황성진, 조규영
발행일	2021년 3월 15일 초판 2021년 3월 15일 1쇄
발행인	(주)천재교육
주소	서울시 금천구 가산로9길 54
신고번호	제2001-000018호
고객센터	1577-0902
교재 내용문의	(02)3282-8852

※ 정답 분실 시에는 천재교육 홈페이지에서 내려받으세요.

7일 끝으로 끝내자!

중학 수학 2-1

BOOK 2
기말고사대비

7일 끝 중학 수학

구성과 활용

시험 공부 시작

생각 열기

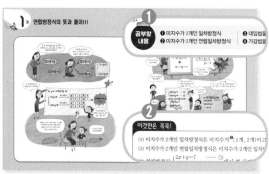

공부할 내용을 만화로 가볍게 살펴보며 학습을 준비해 보세요.

❶ 공부할 내용을 살피며 핵심 학습 요소를 확인해 보세요.

❷ 이것만은 꼭꼭!을 통해 실수하기 쉬운 개념을 짚어 보세요.

본격 공부 중

교과서 **핵심 정리** + 시험지 속 개념 문제

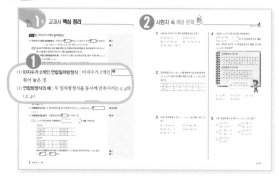

꼭 알아야 할 교과서 핵심 내용을 익히고 시험지 속 개념 문제를 풀며 제대로 이해했는지 확인해 보세요.

❶ 빈칸을 채우며 교과서 핵심 내용을 다시 한번 확인해 보세요.

❷ 교과서 핵심과 관련된 시험지 속 개념 문제를 풀며 공부한 내용을 확인해 보세요.

교과서 **기출 베스트 1회, 2회**

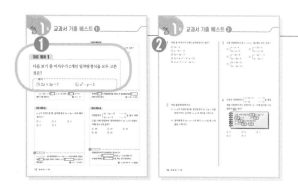

다양한 유형의 문제를 풀어 보며 공부한 내용을 점검해 보세요.

❶ 교과서 기출 베스트 1회에서는 대표 예제 문제를 풀며 시험에 자주 나오는 문제를 확인해 보세요.

❷ 교과서 기출 베스트 1회와 쌍둥이 문제로 구성된 교과서 기출 베스트 2회를 한번 더 풀면서 실력을 다져 보세요.

시험 공부 마무리

**누구나 100점 테스트
1회, 2회**

앞에서 공부한 개념을 이해
했는지 문제를 풀어 점검해
보세요.

서술형·사고력 테스트

서술형·사고력 문제를 집중
적으로 풀며 서술형·사고력
문제에 대한 적응력을 높여
보세요.

창의·융합·코딩 테스트

앞에서 공부한 개념이 어떻
게 이용되는지 알고 문제 해
결력을 키워 보세요.

**기말고사 기본 테스트
1회, 2회**

시험 문제에 가까운 예상 문
제를 풀며 실전에 대비해 보
세요.

틈틈이·짬짬이 공부하기

핵심 정리 총집합 카드를 휴대
하며 이동하는 중이나 시험 직
전에 활용해 보세요.

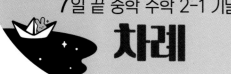

차례

1_일 연립방정식의 뜻과 풀이(1)

공부할 내용

❶ 미지수가 2개인 일차방정식
❷ 미지수가 2개인 연립일차방정식
❸ 대입법을 이용한 연립방정식의 풀이
❹ 가감법을 이용한 연립방정식의 풀이

이것만은 꼭꼭!

(1) 미지수가 2개인 일차방정식은 미지수가 ❶(1개, 2개)이고 그 차수가 모두 ❷(1, 2)인 방정식이다.

(2) 미지수가 2개인 연립일차방정식은 미지수가 2개인 일차방정식 두 개를 한 쌍으로 묶어 놓은 것이다.

(3) 연립방정식 $\begin{cases} 2x+y=7 & \cdots\cdots ㉠ \\ 2x-y=1 & \cdots\cdots ㉡ \end{cases}$ 에서 한 문자를 없애는 방법

　① ㉠을 $y=$ ❸ ☐ 로 나타내어 ㉡에 대입하면 y가 없어진다.

　② ㉠+㉡을 하면 y가 없어지고 ㉠-㉡을 하면 ❹ ☐ 가 없어진다.

답 ❶ 2개 ❷ 1 ❸ $-2x+7$ ❹ x

핵심 1) 미지수가 2개인 일차방정식

(1) **미지수가 2개인 일차방정식** : 미지수가 ❶ [　] 개이고 그 차수가 모두 ❷ [　] 인 방정식
$ax+by+c=0$ (단, a, b, c는 상수, $a \neq 0$, $b \neq 0$)

> [참고] 등식의 우변에 있는 모든 항을 좌변으로 이항하여 정리하였을 때, 분모에 문자가 있거나 x^2
> 항, xy항 등이 있으면 미지수가 2개인 일차방정식이 아니다.

(2) **미지수가 2개인 일차방정식의 해** : 미지수가 2개인 일차방정식을 참이 되게 하는 x, y
의 값 또는 그 순서쌍 (x, y)

> [참고] x, y에 대한 일차방정식의 해를 $x=3, y=1$ 또는 $(3, 1)$로 나타낸다.

(3) **미지수가 2개인 일차방정식을 푼다** : 미지수가 2개인 일차방정식의 ❸ [　] 를 모두 구
하는 것

❶ 2

❷ 1

❸ 해

핵심 2) 미지수가 2개인 연립일차방정식

(1) **미지수가 2개인 연립일차방정식** : 미지수가 2개인 ❹ [　] 두 개를 한 쌍으로
묶어 놓은 것

(2) **연립방정식의 해** : 두 일차방정식을 동시에 만족시키는 x, y의 값 또는 그 ❺ [　]
(x, y)

(3) **연립방정식을 푼다** : 연립방정식의 ❻ [　] 를 구하는 것

> [예] x, y가 자연수일 때, 연립방정식 $\begin{cases} x+y=5 & \cdots\cdots ㉠ \\ 2x+y=8 & \cdots\cdots ㉡ \end{cases}$ 의 해를 구해 보자.
>
> ㉠의 해
>
> | x | 1 | 2 | 3 | 4 |
> |---|---|---|---|---|
> | y | 4 | 3 | 2 | 1 |
>
> ㉡의 해
>
> | x | 1 | 2 | 3 |
> |---|---|---|---|
> | y | 6 | 4 | 2 |
>
> 따라서 연립방정식의 해는 두 일차방정식 ㉠, ㉡을 동시에 만족시키는 x, y의 값인
> $x=$ ❼ [　], $y=$ ❽ [　] 이다.

❹ 일차방정식

❺ 순서쌍

❻ 해

❼ 3

❽ 2

시험지 속 개념 문제

정답과 풀이 **74쪽**

1 다음 중 미지수가 2개인 일차방정식인 것은?

① $2x+y-3$ ② $4x-y=1$

③ $x-5=2x-y^2$ ④ $-x+1=x^2+y$

⑤ $2x-3y=-3y+1$

2 일차방정식 $3x+2y=17$에 대하여 다음 표를 완성하고, x, y가 자연수일 때의 해를 순서쌍 (x, y)로 나타내시오.

x	1	2	3	4	5	⋯
y						⋯

3 다음 일차방정식 중 $x=-1$, $y=3$을 해로 갖는 것은?

① $-x+y=4$ ② $x+4y=10$

③ $2x+y=-1$ ④ $2x+3y=6$

⑤ $3x-y=-5$

4 다음은 x, y가 자연수일 때, 연립방정식
$$\begin{cases} 3x+y=19 & \cdots\cdots ㉠ \\ 4x-y=9 & \cdots\cdots ㉡ \end{cases}$$
의 각 일차방정식의 해를 표로 나타낸 것이다. 이 연립방정식의 해를 순서쌍 (x, y)로 나타내면?

일차방정식 ㉠의 해

x	1	2	3	4	5	6
y	16	13	10	7	4	1

일차방정식 ㉡의 해

x	3	4	5	6	⋯
y	3	7	11	15	⋯

두 일차방정식을 동시에 만족시키는 x, y의 값을 찾아!

① $(1, 16)$ ② $(2, 13)$ ③ $(3, 3)$

④ $(4, 7)$ ⑤ $(5, 11)$

5 다음 연립방정식 중 해가 $x=1$, $y=2$인 것은?

① $\begin{cases} x+y=1 \\ 2x-y=2 \end{cases}$ ② $\begin{cases} x+2y=5 \\ 5x-y=3 \end{cases}$

③ $\begin{cases} x-3y=-4 \\ x-2y=-3 \end{cases}$ ④ $\begin{cases} 2x+y=4 \\ x-y=2 \end{cases}$

⑤ $\begin{cases} 3x-y=1 \\ x+y=7 \end{cases}$

교과서 핵심 정리

핵심 3 대입법을 이용한 연립방정식의 풀이

연립방정식의 두 방정식 중 한 방정식을 $x=(y$에 대한 식$)$ 또는 $y=(x$에 대한 식$)$으로 바꾸어 다른 방정식에 대입하여 한 미지수를 없앤 후 해를 구하는 방법을 **❶** 이라 한다.

❶ 대입법

예 연립방정식 $\begin{cases} y=x+1 & \cdots\cdots ㉠ \\ 3x+2y=-8 & \cdots\cdots ㉡ \end{cases}$ 을 대입법을 이용하여 풀어 보자.

㉠을 ㉡에 대입하면 $3x+2($ **❷** $)=-8$

❷ $x+1$

$5x=-10$ ∴ $x=-2$

$x=-2$를 ㉠에 대입하면 $y=-2+1=-1$

예 연립방정식 $\begin{cases} x+4y=7 & \cdots\cdots ㉠ \\ 2x+3y=4 & \cdots\cdots ㉡ \end{cases}$ 을 대입법을 이용하여 풀어 보자.

㉠에서 $x=$ **❸** $\cdots\cdots$ ㉢

❸ $7-4y$

㉢을 ㉡에 대입하면 $2($ **❹** $)+3y=4$

❹ $7-4y$

$-5y=-10$ ∴ $y=2$

$y=2$를 ㉢에 대입하면 $x=7-4\times 2=-1$

핵심 4 가감법을 이용한 연립방정식의 풀이

연립방정식의 각 방정식의 양변에 적당한 수를 곱하거나 나누어서 x 또는 y의 계수의 절댓값을 같게 만든 후, 두 방정식을 변끼리 더하거나 **빼어서** 해를 구하는 방법을 **❺** 이라 한다.

❺ 가감법

예 연립방정식 $\begin{cases} 2x-y=5 & \cdots\cdots ㉠ \\ x+y=4 & \cdots\cdots ㉡ \end{cases}$ 을 가감법을 이용하여 풀어 보자.

㉠+㉡을 하면 $3x=$ **❻** ∴ $x=3$

❻ 9

$x=3$을 ㉡에 대입하면 $3+y=4$ ∴ $y=$ **❼**

❼ 1

예 연립방정식 $\begin{cases} 2x+y=4 & \cdots\cdots ㉠ \\ x-3y=-5 & \cdots\cdots ㉡ \end{cases}$ 을 가감법을 이용하여 풀어 보자.

㉠-㉡$\times 2$를 하면 $7y=$ **❽** ∴ $y=2$

❽ 14

$y=2$을 ㉠에 대입하면 $2x+2=4$

$2x=2$ ∴ $x=1$

시험지 속 개념 문제

정답과 풀이 **74**쪽

6 다음은 연립방정식 $\begin{cases} y=x-3 \\ x+2y=6 \end{cases}$을 푸는 과정이다. ①~⑤에 들어갈 것으로 알맞은 것은?

연립방정식 $\begin{cases} y=x-3 & \cdots\cdots ㉠ \\ x+2y=6 & \cdots\cdots ㉡ \end{cases}$에서

□① 를 없애기 위해 ㉠을 ㉡에 대입하면

$x+$ □② $=6$, $3x=$ □③ ∴ $x=$ □④

$x=$ □④ 를 ㉠에 대입하면 $y=$ □⑤

① x ② $2x-3$ ③ 6
④ 4 ⑤ 2

7 다음 연립방정식 $\begin{cases} x+3y=5 & \cdots\cdots ㉠ \\ 2x-y=1 & \cdots\cdots ㉡ \end{cases}$의 풀이 방법에 대한 대화에서 바르게 설명한 학생을 모두 고른 것은?

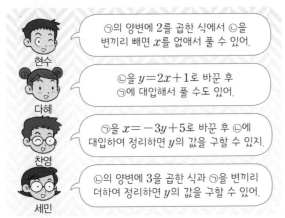

현수: ㉠의 양변에 2를 곱한 식에서 ㉡을 변끼리 빼면 x를 없애서 풀 수 있어.

다혜: ㉡을 $y=2x+1$로 바꾼 후 ㉠에 대입해서 풀 수도 있어.

찬영: ㉠을 $x=-3y+5$로 바꾼 후 ㉡에 대입하여 정리하면 y의 값을 구할 수 있지.

세민: ㉡의 양변에 3을 곱한 식과 ㉠을 변끼리 더하여 정리하면 y의 값을 구할 수 있어.

① 현수, 다혜   ② 현수, 찬영
③ 다혜, 세민   ④ 현수, 다혜, 찬영
⑤ 다혜, 찬영, 세민

8 연립방정식 $\begin{cases} 3x-2y=2 & \cdots\cdots ㉠ \\ 4x+3y=5 & \cdots\cdots ㉡ \end{cases}$을 가감법을 이용하여 풀려고 한다. 다음 중 y를 없애기 위해 필요한 식은?

① ㉠×2−㉡×3   ② ㉠×3+㉡×2
③ ㉠×3−㉡×2   ④ ㉠×4+㉡×3
⑤ ㉠×4−㉡×3

9 다음 연립방정식을 푸시오.

(1) $\begin{cases} y=3x-1 \\ 4x-3y=-2 \end{cases}$

(2) $\begin{cases} x+2y=5 \\ 3x-y=-6 \end{cases}$

(3) $\begin{cases} x+5y=7 \\ 3x+4y=10 \end{cases}$

(4) $\begin{cases} 2x-3y=14 \\ 5x+4y=12 \end{cases}$

대표 예제 1

다음 보기 중 미지수가 2개인 일차방정식을 모두 고른 것은?

> **보기**
> ㉠ $2x+3y=7$ ㉡ $x^2-y=2$
> ㉢ $5x+4y=5x+2$ ㉣ $y=-3x+6$

① ㉠, ㉡ ② ㉠, ㉢ ③ ㉠, ㉣
④ ㉡, ㉢ ⑤ ㉢, ㉣

개념 가이드

등식의 우변에 있는 모든 항을 좌변으로 이항하여 정리한 식이
$$ax+by+c=\boxed{①}\ (a,b,c\text{는 상수}, a\boxed{②}\ 0, b\neq 0)$$
꼴인 것을 찾는다. **답** ① 0 ② ≠

대표 예제 2

x,y가 자연수일 때, 일차방정식 $2x+3y=15$의 해의 개수는?

① 1 ② 2 ③ 3
④ 4 ⑤ 5

개념 가이드

$x=1, 2, 3, \cdots$을 일차방정식 $ax+by+c=0$에 차례로 대입하여 $\boxed{①}$의 값을 구한다. 이때 x,y가 $\boxed{②}$인지 반드시 확인한다. **답** ① y ② 자연수

대표 예제 3

다음 연립방정식 중 해가 $x=-1, y=2$인 것은?

① $\begin{cases} x-y=1 \\ 2x+y=1 \end{cases}$ ② $\begin{cases} x-y=-3 \\ x+2y=4 \end{cases}$

③ $\begin{cases} x+y=1 \\ 2x+y=4 \end{cases}$ ④ $\begin{cases} x+y=3 \\ 2x-y=-4 \end{cases}$

⑤ $\begin{cases} 2x+3y=4 \\ 3x+4y=5 \end{cases}$

개념 가이드

주어진 $\boxed{①}$가 연립방정식을 이루는 두 일차방정식을 $\boxed{②}$ 만족시켜야 한다. **답** ① 해 ② 모두

대표 예제 4

연립방정식 $\begin{cases} 3x-4y=15 & \cdots\cdots\ ㉠ \\ 4y=x+9 & \cdots\cdots\ ㉡ \end{cases}$ 을 풀기 위해

㉡을 ㉠에 대입하여 정리하였더니 $2x=a$가 되었다. 이때 상수 a의 값은?

① 20 ② 22 ③ 24
④ 26 ⑤ 28

개념 가이드

연립방정식의 두 일차방정식 중 하나가
$$x=(\boxed{①})\ \text{또는}\ y=(x\text{에 대한 식})$$
의 꼴일 때에는 $\boxed{②}$으로 푸는 것이 편리하다.
답 ① y에 대한 식 ② 대입법

대표 예제 5

연립방정식 $\begin{cases} 3x+4y=-2 & \cdots\cdots \text{㉠} \\ -5x+3y=13 & \cdots\cdots \text{㉡} \end{cases}$ 을 가감법

을 이용하여 풀려고 한다. 다음 중 x를 없애기 위해 필요한 식은?

① ㉠$\times 3+$㉡$\times 4$ ② ㉠$\times 3-$㉡$\times 4$

③ ㉠$\times 3-$㉡$\times 5$ ④ ㉠$\times 5+$㉡$\times 3$

⑤ ㉠$\times 5-$㉡$\times 3$

개념 가이드 - - - - - - - - - - - - - - - -

없애려는 미지수의 계수의 [①   ]을 같게 만든 후 부호가

같으면 두 식을 변끼리 [②   ], 다르면 두 식을 변끼리 더한다.

답 ① 절댓값 ② 빼고

대표 예제 6

연립방정식 $\begin{cases} 2x+ay=1 \\ bx+3y=-5 \end{cases}$ 의 해가 $(2, -3)$일 때,

상수 a, b의 값을 각각 구하면?

① $a=-1, b=-2$ ② $a=-1, b=1$

③ $a=-1, b=2$ ④ $a=1, b=1$

⑤ $a=1, b=2$

개념 가이드 - - - - - - - - - - - - - - - -

연립방정식의 해가 주어지면 그 [①   ]를 연립방정식의 각 일차

방정식에 [②   ]하여 미지수의 값을 구한다.

답 ① 해 ② 대입

대표 예제 7

연립방정식 $\begin{cases} 3x-y=a \\ 2x+3y=-10 \end{cases}$ 을 만족시키는 x의 값이

y의 값보다 5만큼 클 때, 상수 a의 값은?

① -13 ② -9 ③ -5

④ 7 ⑤ 11

개념 가이드 - - - - - - - - - - - - - - - -

'x의 값이 y의 값보다 5만큼 크다.'를 식으로 나타내면

$x=$[①   ]이다. 이 식과 미지수가 없는 일차방정식을 연

립하여 푼다.

답 ① $y+5$

대표 예제 8

두 연립방정식 $\begin{cases} x+ay=-2 \\ y=2x-3 \end{cases}$, $\begin{cases} 4x-y=7 \\ bx+y=3 \end{cases}$ 의 해가

서로 같을 때, $a-b$의 값을 구하시오. (단, a, b는 상수)

미지수가 없는 두 식으로
연립방정식을 만들어 보자!

개념 가이드 - - - - - - - - - - - - - - - -

주어진 두 연립방정식에서 미지수가 [①   ] 두 일차방정식을

찾아 [②   ]을 만든 후 푼다.

답 ① 없는 ② 연립방정식

1 다음 중 미지수가 2개인 일차방정식인 것은?

① $2x-y$

② $x-6=-8$

③ $5x+4y-3$

④ $3x+y+7=1+y+2x$

⑤ $x(x+1)=x^2-2y+1$

2 다음 물음에 답하시오.

(1) x, y가 자연수일 때, 일차방정식 $5x+2y=24$를 만족시키는 순서쌍 (x, y)의 개수를 구하시오.

(2) 일차방정식 $4x+y=3$의 해가 $(2, a)$일 때, a의 값을 구하시오.

3 다음 연립방정식 중 $x=3$, $y=1$을 해로 갖는 것은?

① $\begin{cases} x+y=4 \\ 2x+y=5 \end{cases}$

② $\begin{cases} x+2y=5 \\ 4x+y=12 \end{cases}$

③ $\begin{cases} x+3y=9 \\ 5x-9y=6 \end{cases}$

④ $\begin{cases} x-5y=-2 \\ 3x-2y=7 \end{cases}$

⑤ $\begin{cases} 3x+2y=11 \\ 4x-3y=15 \end{cases}$

4 다음은 연립방정식 $\begin{cases} x+3y=5 \quad\cdots\cdots ㉠ \\ x=2y \quad\cdots\cdots ㉡ \end{cases}$ 을 대입법을 이용하여 푸는 과정이다. ①~⑤에 들어갈 수로 알맞지 <u>않은</u> 것은?

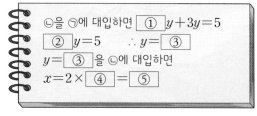

㉡을 ㉠에 대입하면 ① $y+3y=5$

② $y=5$ ∴ $y=$ ③

$y=$ ③ 을 ㉡에 대입하면

$x=2×$ ④ $=$ ⑤

① 2   ② 5   ③ 1

④ 2   ⑤ 2

5 다음 중 연립방정식 $\begin{cases} x+y=3 & \cdots\cdots ㉠ \\ 2x-y=1 & \cdots\cdots ㉡ \end{cases}$ 에서 x 또는 y를 없애기 위해 필요한 식을 모두 고르면?

(정답 2개)

① ㉠+㉡
② ㉠-㉡
③ ㉠×2+㉡
④ ㉠×2-㉡
⑤ ㉠×2-㉡×3

7 연립방정식 $\begin{cases} ax+y=15 \\ -x+y=6 \end{cases}$ 을 만족시키는 x의 값이 y의 값의 3배일 때, 상수 a의 값은?

① -4
② -2
③ 0
④ 2
⑤ 4

x의 값이 y의 값의 3배임을 식으로 나타내어 보자!

6 연립방정식 $\begin{cases} 3x+ay=1 \\ bx-2y=3 \end{cases}$ 의 해가 $(-1, 2)$일 때, $a+b$의 값은? (단, a, b는 상수)

① -5
② -3
③ -1
④ 3
⑤ 5

8 두 연립방정식 $\begin{cases} 2x+y=-3 \\ ax-2y=6 \end{cases}$, $\begin{cases} -x+2by=-12 \\ 3x+y=-9 \end{cases}$ 의 해가 서로 같을 때, $a-b$의 값은? (단, a, b는 상수)

① -5
② -4
③ -3
④ 4
⑤ 5

연립방정식의 풀이(2)와 활용

이것만은 꼭꼭!

(1) 계수가 정수가 아닌 연립방정식에서

① 계수가 소수인 경우 ➡ 양변에 10의 거듭제곱을 곱하여 계수를 ❶ ⬚ 로 만든 후 푼다.

② 계수가 분수인 경우 ➡ 양변에 분모의 ❷ ⬚ 를 곱하여 계수를 ❸ ⬚ 로 만든 후 푼다.

(2) 속력 문제가 나오면 이용되는 공식 ➡ (거리)=(속력)×(시간), (속력)=$\dfrac{(\boxed{\text{❹} \quad})}{(\text{시간})}$, (시간)=$\dfrac{(\text{거리})}{(\text{속력})}$

답 ❶ 정수 ❷ 최소공배수 ❸ 정수 ❹ 거리

교과서 **핵심 정리**

핵심 1 괄호가 있는 연립방정식

① 을 이용하여 괄호를 풀고 동류항끼리 정리한 후 푼다.

[예] $\begin{cases} 2(x-y)+3x=2 \\ 7x-3(2x-y)=14 \end{cases}$ → $\begin{cases} 2x-2y+3x=2 \\ 7x-6x+3y=14 \end{cases}$ → $\begin{cases} 5x-2y=2 \\ ② \end{cases}$

└→ 부호에 주의하여 괄호를 푼다.

→ $x=2, y=4$

❶ 분배법칙

❷ $x+3y=14$

핵심 2 계수가 소수 또는 분수인 연립방정식

(1) **계수가 소수인 연립방정식** : 각 일차방정식의 양변에 **③** 을 곱하여 계수를 정수로 만든 후 푼다.

[예] $\begin{cases} x-0.3y=1.1 \\ 0.7x+0.4y=2.6 \end{cases}$ $\xrightarrow[\text{양변}\times ④]{\text{양변}\times 10}$ $\begin{cases} 10x-3y=11 \\ 7x+4y=26 \end{cases}$ → $x=2, y=3$

❸ 10의 거듭제곱

❹ 10

(2) **계수가 분수인 연립방정식** : 각 일차방정식의 양변에 분모의 **⑤** 를 곱하여 계수를 **⑥** 로 만든 후 푼다.

[예] $\begin{cases} \dfrac{1}{2}x-\dfrac{1}{3}y=3 \\ \dfrac{3}{2}x+\dfrac{1}{4}y=-1 \end{cases}$ $\xrightarrow[\text{양변}\times ❼]{\text{양변}\times 6}$ $\begin{cases} 3x-2y=18 \\ 6x+y=-4 \end{cases}$ → $x=\dfrac{2}{3}, y=-8$

❺ 최소공배수

❻ 정수

❼ 4

핵심 3 $A=B=C$ 꼴의 방정식

$A=B=C$ 꼴의 방정식은 $\begin{cases} A=B \\ A=C \end{cases}$ 또는 $\begin{cases} A=B \\ B=C \end{cases}$ 또는 $\begin{cases} A=C \\ B=C \end{cases}$ 중의 어느 하나로 바꾸어 푼다.

[예] 방정식 $3x+2y=x+4y=5$는

$\begin{cases} 3x+2y=x+4y \\ 3x+2y=5 \end{cases}$ 또는 $\begin{cases} 3x+2y=❽ \\ x+4y=5 \end{cases}$ 또는 $\begin{cases} 3x+2y=5 \\ x+4y=5 \end{cases}$

중의 어느 하나로 바꾸어 푼다.

이때 이 중에서 가장 간단한 연립방정식 $\begin{cases} 3x+2y=❾ \\ x+4y=5 \end{cases}$ 를 선택하여 풀면 계산이 편리하다.

❽ $x+4y$

❾ 5

> 어떤 것을 선택해도 그 결과는 같다.

1 다음 연립방정식을 푸시오.

(1) $\begin{cases} 2(x+1)+3y=4 \\ 4x+5y=2 \end{cases}$

(2) $\begin{cases} 3x-2(y+1)=-3 \\ 4(-x+y)+3x=-13 \end{cases}$

(3) $\begin{cases} 0.2x-0.3y=-1 \\ 0.4x-5y=6.8 \end{cases}$

(4) $\begin{cases} 5x+y=-2 \\ \dfrac{x}{3}-\dfrac{y}{2}=-\dfrac{11}{6} \end{cases}$

2 다음은 은영이가 연립방정식 $\begin{cases} \dfrac{1}{5}x+\dfrac{1}{10}y=\dfrac{1}{2} \\ 0.3x+0.2y=1 \end{cases}$ 을 푼

과정이다. ①~⑤ 중에서 처음으로 틀린 부분을 찾고, 주어진 연립방정식을 바르게 푸시오.

연립방정식 $\begin{cases} \dfrac{1}{5}x+\dfrac{1}{10}y=\dfrac{1}{2} \quad \cdots\cdots \text{㉠} \\ 0.3x+0.2y=1 \quad \cdots\cdots \text{㉡} \end{cases}$ 에서

㉠×10, ㉡×10을 하면
　　①

$\begin{cases} 2x+y=5 \quad \cdots\cdots \text{㉢} \\ \underset{②}{} \\ 3x+2y=1 \quad \cdots\cdots \text{㉣} \\ \underset{③}{} \end{cases}$

㉢×2−㉣을 하면 $x=9$
　　④

$x=9$를 ㉢에 대입하면
$18+y=5 \qquad \therefore y=-13$
　　⑤

어? 어디가 틀렸지?
제대로 푼 것 같은데~

3 연립방정식 $\begin{cases} 0.7x-2y=-3 \\ \dfrac{1}{5}x-2y=-8 \end{cases}$ 을 푸시오.

4 방정식 $\dfrac{x+2y}{5}=\dfrac{x+y}{4}=2$에 대하여 다음 물음에

답하시오.

(1) 주어진 방정식을 연립방정식 $\begin{cases} \dfrac{x+2y}{5}=\Box \\ \dfrac{x+y}{4}=\Box \end{cases}$ 로

바꿀 때, $\Box$ 안에 공통으로 알맞은 수를 구하시오.

(2) (1)의 연립방정식을 푸시오.

5 방정식 $x-y-1=y+4=2x+4y+1$을 푸시오.

핵심 **4** 연립방정식의 활용

$$\boxed{\text{미지수 } x, y \text{ 정하기}} \rightarrow \boxed{\text{연립방정식 세우기}} \rightarrow \boxed{\text{연립방정식 풀기}} \rightarrow \boxed{\text{확인하기}}$$

(1) 가격에 대한 연립방정식의 활용 문제

(전체 가격)＝(물건의 개수)×(물건 한 개의 가격)을 이용한다.

[예] 연필 2자루와 공책 1권의 가격은 1900원이고, 연필 4자루와 공책 3권의 가격은 5000원일

때, 연필 1자루와 공책 1권의 가격을 각각 구해 보자.

연필 1자루의 가격을 x원, 공책 1권의 가격을 **❶**[ ]원이라 하면

$$\begin{cases} 2x+y=1900 \\ 4x+3y=5000 \end{cases} \quad \therefore x=350,\ y=1200$$

따라서 연필 1자루의 가격은 **❷**[ ]원, 공책 1권의 가격은 **❸**[ ]원이다.

┗▶ 연필 2자루와 공책 1권의 가격은 $2 \times 350+1200=1900$(원)
　　연필 4자루와 공책 3권의 가격은 $4 \times 350+3 \times 1200=5000$(원)
　　따라서 구한 해는 문제의 뜻에 맞다.

❶ y

❷ 350
❸ 1200

(2) 속력에 대한 연립방정식의 활용 문제

$$(\text{거리})=(\text{속력}) \times (\boxed{\textbf{❹} \qquad}),\ (\text{속력})=\frac{(\text{거리})}{(\text{시간})},\ (\text{시간})=\frac{(\text{거리})}{(\text{속력})} \text{ 를 이용한다.}$$

❹ 시간

[예] 건우는 집에서 4 km 떨어진 학교까지 가는데 집에서 문구점까지는 시속 6 km로 자전거를 타고 가고, 문구점에서 학교까지는 시속 3 km로 걸어서 1시간 만에 도착하였다. 이때 집에서 문구점까지의 거리와 문구점에서 학교까지의 거리를 각각 구해 보자.

오른쪽 표에서

$$\begin{cases} x+y=4 \\ \dfrac{x}{6}+\dfrac{y}{3}=1 \end{cases} \quad \therefore x=2,\ y=2$$

따라서 집에서 문구점까지의 거리는 **❼**[ ] km, 문구점에서 학교까지의 거리는 **❽**[ ] km이다.

┗▶ 집에서 학교까지의 전체 거리는 $2+2=4$ (km)
　　전체 걸린 시간은 $\frac{2}{6}+\frac{2}{3}=1$(시간)
　　따라서 구한 해는 문제의 뜻에 맞다.

	집 → 문구점	문구점 → 학교	전체
거리(km)	x	y	**❺**[ ]
시간(시간)	$\dfrac{x}{6}$	**❻**[ ]	1

❺ 4
❻ $\dfrac{y}{3}$
❼ 2
❽ 2

6 사과 2개와 복숭아 3개의 가격은 3000원이고, 사과 8개와 복숭아 5개의 가격은 9200원이다. 사과 1개의 가격을 x원, 복숭아 1개의 가격을 y원이라 할 때, 다음 물음에 답하시오.

(1) x, y에 대한 연립방정식을 세우시오.

(2) x, y의 값을 각각 구하시오.

7 어느 농장에 토끼와 오리가 모두 35마리 있다. 토끼와 오리의 다리의 수의 합이 96개일 때, 토끼와 오리는 각각 몇 마리가 있는지 구하시오.

8 어떤 두 자리 자연수의 각 자리의 숫자의 합은 7이고, 십의 자리의 숫자와 일의 자리의 숫자를 서로 바꾼 수는 처음 수보다 27만큼 크다고 한다. 다음 물음에 답하시오.

(1) 처음 수의 십의 자리의 숫자를 x, 일의 자리의 숫자를 y라 할 때, x, y에 대한 연립방정식을 세우시오.

(2) (1)의 연립방정식을 푸시오.

(3) 처음 수를 구하시오.

9 미영이는 집에서 5 km 떨어진 도서관까지 가는데 처음에는 시속 8 km로 뛰다가 도중에 시속 4 km로 걸어서 1시간 만에 도착하였다. 다음 물음에 답하시오.

(1) 뛰어간 거리를 x km, 걸어간 거리를 y km라 할 때, 아래 표를 완성하시오.

	뛰어갈 때	걸어갈 때	전체
거리(km)	x	y	
시간(시간)	$\dfrac{x}{8}$		

(2) (1)의 표를 이용하여 x, y에 대한 연립방정식을 세우시오.

(3) (2)의 연립방정식을 풀어 뛰어간 거리와 걸어간 거리를 각각 구하시오.

대표 예제 1

연립방정식 $\begin{cases} 3(x-2y)=5(2-y) \\ 2x-4(y+3)=1-x \end{cases}$ 의 해를 $x=a$, $y=b$라 할 때, $a+b$의 값은?

① -2 ② -1 ③ 0

④ 1 ⑤ 2

개념 가이드

괄호가 있는 연립방정식은 ①[   ]을 이용하여 괄호를 풀고 동류항끼리 정리한 후 푼다.

→ 분배법칙 : $a(\overset{\frown}{b+c}) = $ ②[   ]$+ac$, $(\overset{\frown}{a+b})c = $ ③[   ]$+bc$

답 ① 분배법칙 ② ab ③ ac

대표 예제 2

연립방정식 $\begin{cases} 0.1x-0.2y=0.3 \\ -0.2x+0.3y=-1 \end{cases}$ 을 풀면?

① $x=-5, y=-4$ ② $x=-5, y=4$

③ $x=5, y=4$ ④ $x=11, y=-4$

⑤ $x=11, y=4$

개념 가이드

계수가 소수인 연립방정식은 각 일차방정식의 양변에 ①[   ]을 적당히 곱하여 계수를 ②[   ]로 만든 후 푼다.

답 ① 10의 거듭제곱 ② 정수

대표 예제 3

연립방정식 $\begin{cases} \dfrac{x}{4}+\dfrac{y}{2}=-2 \\ -x+3=-2y+3 \end{cases}$ 을 풀면?

① $x=-4, y=-2$ ② $x=-4, y=2$

③ $x=-2, y=4$ ④ $x=2, y=-4$

⑤ $x=2, y=4$

개념 가이드

계수가 분수인 연립방정식은 각 일차방정식의 양변에 분모의 ①[   ]를 곱하여 계수를 ②[   ]로 만든 후 푼다.

답 ① 최소공배수 ② 정수

대표 예제 4

연립방정식 $\begin{cases} \dfrac{1}{5}x-\dfrac{3}{10}y=\dfrac{3}{5} \\ 0.3x-0.7y=\dfrac{2}{5} \end{cases}$ 의 해를 (a,b)라 할 때, $a-b$의 값은?

① -2 ② 0 ③ 2

④ 4 ⑤ 6

개념 가이드

연립방정식의 계수가 소수 또는 분수인 경우에는 각 일차방정식의 양변에 적당한 수를 곱하여 계수를 ①[   ]로 고친 후 푼다.

답 ① 정수

대표 예제 **5**

방정식 $3x+4y=2x-y=y+12$의 해를 $x=a, y=b$라 할 때, ab의 값을 구하시오.

등호로 연결되어 있으니 일차방정식을 두 개 만들 수 있지.

$\begin{cases} 3x+4y=y+12 \\ 2x-y=y+12 \end{cases}$ 이렇게요?

개념 가이드

$A=B=C$ 꼴의 방정식은 $\begin{cases} A=B \\ A=C \end{cases}$ 또는 $\begin{cases} A=\boxed{①} \\ B=C \end{cases}$ 또는

$\begin{cases} A=C \\ B=\boxed{②} \end{cases}$ 중의 어느 하나로 바꾸어 푼다. **답** ① B ② C

대표 예제 **7**

어떤 두 자리의 자연수의 각 자리의 숫자의 합은 13이고, 십의 자리의 숫자와 일의 자리의 숫자를 바꾼 수는 처음 수보다 45만큼 작다고 한다. 이때 처음 수를 구하시오.

개념 가이드

십의 자리의 숫자가 x, 일의 자리의 숫자가 y인 두 자리의 자연수는 $10x+\boxed{①}$, 이 수의 각 자리의 숫자를 바꾼 수는 $10y+\boxed{②}$임을 이용하여 연립방정식을 세운다. **답** ① y ② x

대표 예제 **6**

현재 지민이와 삼촌의 나이의 합은 50세이고, 5년 후에 삼촌의 나이는 지민이의 나이의 2배가 될 때, 현재 삼촌의 나이는?

① 31세   ② 32세   ③ 33세

④ 34세   ⑤ 35세

개념 가이드

현재 지민이의 나이를 x세, 삼촌의 나이를 $\boxed{①}$ 세로 놓고 x, y에 대한 연립방정식을 세운다. **답** ① y

대표 예제 **8**

세호가 등산을 하는데 올라갈 때는 시속 3 km로 걷고, 내려올 때에는 다른 길로 시속 4 km로 걸었더니 총 1시간 40분이 걸렸다. 올라간 거리와 내려온 거리의 합이 6 km일 때, 세호가 올라간 거리를 구하시오.

시속 3Km 올라갈 때

시속 4Km 내려올 때

개념 가이드

$(\text{시간})=\dfrac{(\boxed{①})}{(\text{속력})}$ 와 $(1\text{시간 }40\text{분})=\dfrac{\boxed{②}}{3}$ 시간임을 이용하여 연립방정식을 세운다. **답** ① 거리 ② 5

1 연립방정식 $\begin{cases} 3(x+a)-5(y+1)=3 \\ -x+2y=-4 \end{cases}$ 를 만족시키는

x의 값이 y의 값의 4배일 때, 상수 a의 값은?

① -2　　　② -1　　　③ 0

④ 1　　　⑤ 2

2 연립방정식 $\begin{cases} 0.3x+0.4y=0.9 \\ 0.1x-0.4y=-1.3 \end{cases}$ 을 풀면?

① $x=-3,\ y=3$　　② $x=-1,\ y=-3$

③ $x=-1,\ y=3$　　④ $x=3,\ y=-1$

⑤ $x=3,\ y=3$

3 다음 연립방정식의 풀이 과정에 대한 대화에서 바르게 설명하지 <u>않은</u> 학생을 고르시오.

$\begin{cases} \dfrac{2}{3}x+\dfrac{1}{2}y=\dfrac{1}{3} & \cdots\cdots \text{㉠} \\ \dfrac{1}{5}x-\dfrac{1}{2}y=-\dfrac{6}{5} & \cdots\cdots \text{㉡} \end{cases}$

㉠, ㉡의 계수가 정수가 되도록 [(가)]을 하면

$\begin{cases} 4x+3y=2 & \cdots\cdots \text{㉢} \\ 2x-5y=-12 & \cdots\cdots \text{㉣} \end{cases}$

x를 없애기 위해 [(나)]를 하면

[(다)]　　　∴ $y=$ [(라)]

$y=$ [(라)] 를 ㉢에 대입하면

$x=$ [(마)]

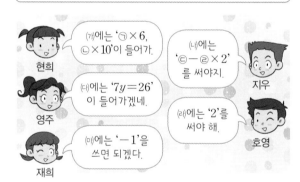

현희: (가)에는 '㉠×6, ㉡×10'이 들어가.

지우: (나)에는 '㉢－㉣×2'를 써야지.

영주: (다)에는 '7y=26'이 들어가겠네.

호영: (라)에는 '2'를 써야 해.

재희: (마)에는 '－1'을 쓰면 되겠다.

4 연립방정식 $\begin{cases} 0.5x-0.2y=0.3 \\ \dfrac{3}{2}(x-2)-y=\dfrac{1}{2} \end{cases}$ 의 해가 일차방정식

$ax-2y+1=0$을 만족시킬 때, 상수 a의 값은?

① -6　　　② -2　　　③ 1

④ 7　　　⑤ 10

5 방정식 $-2x+y-2=3x-y+3=x-3y+1$의 해가 (a, b)일 때, ab의 값은?

① -4 ② -2 ③ -1
④ 0 ⑤ 1

7 윗변의 길이가 아랫변의 길이보다 5 cm 짧은 사다리꼴이 있다. 이 사다리꼴의 높이가 6 cm이고 넓이가 45 cm²일 때, 윗변의 길이를 구하시오.

6 다음 대화를 읽고 올해 언니의 나이를 구하시오.

8 지훈이가 등산을 하는데 올라갈 때에는 시속 2 km로 걷고 내려올 때에는 올라갈 때보다 1 km 더 먼 길을 시속 3 km로 걸었더니 총 3시간 20분이 걸렸다. 이때 지훈이가 올라간 거리는?

① $\dfrac{12}{5}$ km   ② $\dfrac{16}{5}$ km   ③ $\dfrac{18}{5}$ km

④ $\dfrac{19}{5}$ km   ⑤ 4 km

이것만은 꼭꼭!

(1) 일차함수는 y가 x에 대한 ❶ ▢▢▢▢, 즉 $y=ax+b$(a, b는 상수, $a \neq 0$)의 꼴로 나타나는 함수를 말한다.
→ $y=2x-1$은 일차함수❷(이다, 가 아니다).

(2) $y=ax+b$의 그래프는 $y=ax$의 그래프를 ❸ ▢ 축의 방향으로 ❹ ▢ 만큼 평행이동한 것이다.

📋 답 ❶ 일차식 ❷ 이다 ❸ y ❹ b

3일 교과서 핵심 정리

핵심 1 함수

(1) **함수** : 두 변수 x, y에 대하여 x의 값이 하나 정해짐에 따라 y의 값이 [❶   ] 정해지는 대응 관계가 있을 때, y를 x의 [❷   ]라 한다.

[참고] x의 값이 하나 정해질 때 y의 값이 없거나 2개 이상이면 함수가 [❸   ].

[예] ① 자연수 x의 약수의 개수 y

x	1	2	3	4	…
y	1	2	2	3	…

따라서 x의 값이 하나 정해짐에 따라 y의 값이 하나씩 정해지므로 y는 x의 함수이다.

② 자연수 x의 약수 y

x	1	2	3	4	…
y	1	1, 2	1, 3	1, 2, 4	…

따라서 x의 값이 하나 정해질 때 y의 값이 2개 이상인 경우가 있으므로 y는 x의 함수가 아니다.

❶ 하나씩
❷ 함수
❸ 아니다

핵심 2 함숫값

(1) **함수의 표현** : y가 x의 함수일 때, 이것을 기호로 $y=f(x)$와 같이 나타낸다.

(2) **함숫값** : 함수 $y=f(x)$에서 x의 값이 정해지면 그에 따라 정해지는 [❹   ]의 값, 즉 $f(x)$를 x의 [❺   ]이라 한다.

[참고] 함수 $y=f(x)$에 대하여 $f(a)$ ➡ $x=a$일 때의 함숫값
➡ $x=a$일 때, y의 값
➡ $f(x)$에 $x=a$를 대입하여 얻은 값

[예] 함수 $f(x)=-4x$에 대하여 $x=2$일 때의 함숫값은 $f(2)=-4\times2=$ [❻   ]

❹ y
❺ 함숫값

❻ -8

핵심 3 일차함수

함수 $y=f(x)$에서 y가 x에 대한 [❼   ]
$$y=ax+b\ (a,\ b\text{는 상수},\ a\neq0)$$
로 나타날 때, y를 x에 대한 [❽   ]라 한다.

[예] ① $y=-x+1,\ y=2x,\ y=\dfrac{1}{4}x-3$ ➡ 일차함수이다.

② $y=\dfrac{1}{x},\ y=x^2+3,\ y=5$ ➡ 일차함수가 아니다.

❼ 일차식

❽ 일차함수

시험지 속 개념 문제

정답과 풀이 **81쪽**

1 아래 보기에 대하여 다음 물음에 답하시오.

> **보기**
> ㉠ 정비례 관계 $y=3x$
> ㉡ 반비례 관계 $y=\dfrac{10}{x}$ (단, $x \neq 0$)
> ㉢ 절댓값이 x인 수 y
> ㉣ 한 변의 길이가 x cm인 정삼각형의 둘레의 길이 y cm
> ㉤ 한 자루에 500원인 연필 x자루를 살 때, 지불해야 하는 금액 y원

(1) y가 x의 함수인 것을 모두 고르시오.

(2) y가 x의 함수가 아닌 것을 찾아 다음 표를 완성하고 옳은 것에 ○표 하시오.

x	1	2	3	4	…
y					…

➡ x의 값이 하나 정해짐에 따라 ☐의 값이 하나씩 (정해지므로, 정해지지 않으므로) 함수가 아니다.

2 함수 $f(x)=2x-3$에서 $x=4$일 때의 함숫값을 구하시오.

3 함수 $f(x)=-4x-1$에 대하여 $f(3)$의 값을 구하시오.

4 다음 보기 중 y가 x에 대한 일차함수인 것을 모두 고르시오.

> **보기**
> ㉠ $y=\dfrac{1}{x}$ ㉡ $y=x(x+9)$
> ㉢ $y=5$ ㉣ $y=\dfrac{1}{3}x-1$
> ㉤ $y=-6x$ ㉥ $y=x(x-1)-x^2$

㉡, ㉥은 괄호를 풀어 정리하였을 때, $y=ax+b$의 꼴이 되는지 확인해.

5 다음에서 y를 x의 식으로 나타내고 일차함수인 것은 ○표, 일차함수가 아닌 것은 ×표를 하시오.

(1) 100 m 거리를 분속 x m로 달린 시간 y분

➡ ($\boxed{}$) $=\dfrac{\text{(거리)}}{\text{(속력)}}$ 이므로

$\underline{\hspace{6cm}}$ (   )

(2) 반지름의 길이가 x cm인 원의 넓이 y cm^2

➡ (원의 넓이) $=\pi \times (\boxed{})^2$ 이므로

$\underline{\hspace{6cm}}$ (   )

(3) 올해 15세인 수빈이의 x년 후의 나이 y세

$\underline{\hspace{6cm}}$ (   )

(4) 100쪽짜리 책에서 x쪽을 읽고 남은 쪽수 y쪽

$\underline{\hspace{6cm}}$ (   )

핵심 4 일차함수 $y=ax+b$의 그래프

x의 값의 범위가 수 전체일 때, 일차함수 $y=ax+b$의 그래프는 　　　으로 나타난다.

❶ 직선

예 일차함수 $y=2x+1$의 그래프는

① $x=-2, -1, 0, 1, 2$일 때　　　　② x가 수 전체일 때

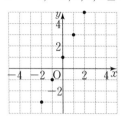　　　　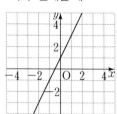

핵심 5 두 점을 이용하여 일차함수의 그래프 그리기

일차함수의 그래프 위의 서로 다른 두 점을 찾아 좌표평면 위에 나타낸 후 두 점을 직선으로 연결한다.

예 일차함수 $y=\dfrac{1}{2}x+1$의 그래프를 그려 보자.

$x=-2$일 때, $y=\dfrac{1}{2}\times(-2)+1=$ ❷　

$x=2$일 때, $y=\dfrac{1}{2}\times2+1=$ ❸　

❷ 0

❸ 2

따라서 일차함수 $y=\dfrac{1}{2}x+1$의 그래프는 오른쪽 그림과 같이

두 점 $(-2, 0)$, $(2, 2)$를 지나는 직선이다.

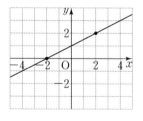

핵심 6 평행이동을 이용하여 일차함수의 그래프 그리기

(1) **평행이동** : 한 도형을 일정한 ❹　으로 일정한 거리만큼 옮기는 것

❹ 방향

(2) **일차함수 $y=ax+b$의 그래프** : 일차함수 $y=ax+b$의 그래프는 일차함수

$y=$ ❺　의 그래프를 y축의 방향으로 ❻　만큼 평행이동한 직선이다.

❺ ax

예 ① 일차함수 $y=-x$의 그래프를 y축의 방향으로

❼　만큼 평행이동하면 $y=-x+1$

② 일차함수 $y=-x$의 그래프를 y축의 방향으로

❽　만큼 평행이동하면 $y=-x-2$

❻ b

❼ 1

❽ -2

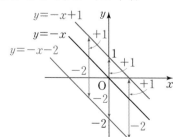

시험지 속 개념 문제

정답과 풀이 **81**쪽

6 다음 중 x, y가 자연수일 때, 일차함수 $y=2x-1$의 그래프는?

①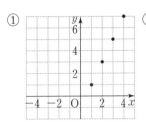

②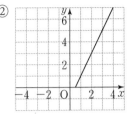

③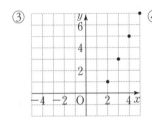

④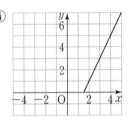

⑤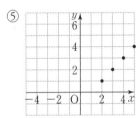

7 다음 좌표평면 위에 일차함수 $y=-\dfrac{2}{3}x+2$의 그래프를 그래프가 지나는 두 점을 이용하여 그리시오.

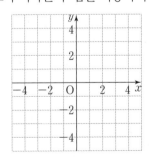

8 오른쪽 그림과 같이 일차함수 $y=2x$의 그래프를 y축의 방향으로 3만큼 평행이동한 그래프 (ㄱ)을 나타내는 식은?

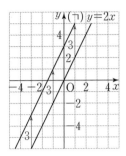

① $y=2x-1$
② $y=2x+3$
③ $y=2x+6$
④ $y=3x-3$
⑤ $y=3x+3$

9 다음은 지연이와 형규가 일차함수의 그래프에 대하여 나눈 대화이다. ☐ 안에 알맞은 것을 써넣으시오.

일차함수 $y=2x-1$의 그래프는 $y=\boxed{}x$의 그래프를 y축의 방향으로 $\boxed{}$만큼 평행이동한 것이야.

일차함수 $y=-4x$의 그래프를 y축의 방향으로 -7만큼 평행이동한 그래프를 나타내는 일차함수의 식은 $\boxed{}$이야.

대표 예제 1

다음 보기 중 y가 x의 함수인 것을 모두 고르시오.

┌ 보기 ┐

㉠ 자연수 x의 약수 y

㉡ x보다 작은 자연수 y

㉢ 자연수 x를 3으로 나눈 나머지 y

㉣ 1개에 700원인 꽈배기를 x개 살 때, 지불해야 하는 금액 y원

㉤ x km를 시속 5 km로 걸을 때 걸린 시간 y시간

🧭 **개념 가이드**

x의 값이 하나 정해짐에 따라 y의 값이 ① [   ] 정해지는 대응 관계가 있을 때, y를 x의 ② [   ] 라 한다.

답 ① 하나씩 ② 함수

대표 예제 2

함수 $f(x) = \dfrac{3}{x}$에 대하여 $f(-1) + f(3)$의 값은?

① -4 ② -2 ③ 0
④ 2 ⑤ 4

비켜줄래?

거기 내자리거든

똑똑

$f(x) = \dfrac{3}{x}$

🧭 **개념 가이드**

함수 $y = f(x)$에 대하여 $f(a)$의 값은 $x =$ ① [   ] 일 때의 y의 값이므로 $f(x)$에 ② [   ] 대신 a를 대입하여 함숫값을 구한다.

답 ① a ② x

대표 예제 3

일차함수 $f(x) = -x + a$에 대하여 $f(-2) = 7$일 때, $f(3)$의 값은? (단, a는 상수)

① -3 ② -2 ③ -1
④ 1 ⑤ 2

🧭 **개념 가이드**

함수 $y = f(x)$에 주어진 함숫값을 ① [   ] 하여 미지수 a의 값을 구한다.

답 ① 대입

대표 예제 4

다음 보기 중 y가 x에 대한 일차함수인 것은 모두 몇 개인지 구하시오.

┌ 보기 ┐

㉠ $y = 4x + 6$ ㉡ $xy = 3$

㉢ $y = \dfrac{x}{2} - 5$ ㉣ $y = \dfrac{1}{6}x$

㉤ $y = -\dfrac{1}{x} - 24$ ㉥ $2x + 3y = 8$

🧭 **개념 가이드**

식을 정리하였을 때, $y =$ ① [   ] (a, b는 상수, a ② [   ] 0)의 꼴로 나타내어지는 것을 찾는다.

답 ① $ax + b$ ② $\neq$

대표 예제 **5**

일차함수 $y=-2x+k$의 그래프가 두 점 $(-2, 8)$, $(a, 2)$를 지날 때, $k+a$의 값은? (단, k는 상수)

① -6 ② -5 ③ -1

④ 5 ⑤ 6

> **개념 가이드**
>
> 일차함수의 식에 x좌표와 y좌표가 모두 주어진 점의 좌표를 각각 ① ☐ 하여 미지수 k의 값을 구한다.
>
> **답** ① 대입

대표 예제 **7**

일차함수 $y=-x+2$의 그래프를 y축의 방향으로 -5만큼 평행이동한 그래프를 나타내는 일차함수의 식은?

① $y=-5x-2$ ② $y=-4x+2$

③ $y=-x-3$ ④ $y=-x-2$

⑤ $y=2x+3$

> **개념 가이드**
>
> $y=ax+b$ $\xrightarrow[c만큼 평행이동]{y축의 방향으로}$ $y=ax+b+$ ① ☐
>
> **답** ① c

대표 예제 **6**

일차함수 $y=ax$의 그래프를 y축의 방향으로 b만큼 평행이동하였더니 일차함수 $y=\dfrac{1}{4}x+1$의 그래프와 일치하였다. 이때 $8a+b$의 값은? (단, a는 상수)

① 1 ② 3 ③ 5

④ 7 ⑤ 9

> **개념 가이드**
>
> 일차함수 $y=ax$의 그래프를 y축의 방향으로 b만큼 ① ☐ 한 그래프를 나타내는 일차함수의 식은 $y=$ ② ☐ 이다.
>
> **답** ① 평행이동 ② $ax+b$

대표 예제 **8**

일차함수 $y=6x-6$의 그래프를 y축의 방향으로 $3k$만큼 평행이동하면 점 $(k, 12)$를 지날 때, k의 값은?

① $-\dfrac{1}{2}$ ② 0 ③ $\dfrac{1}{2}$

④ 1 ⑤ 2

> **개념 가이드**
>
> 먼저 평행이동한 일차함수의 식을 구한 후 그 식에 주어진 점의 x좌표와 y좌표를 ① ☐ 하여 미지수의 값을 구한다.
>
> **답** ① 대입

1 다음 보기 중 y가 x의 함수가 <u>아닌</u> 것을 모두 고른 것은?

> 보기
> ㉠ 자연수 x를 5배 한 수 y
> ㉡ 0이 아닌 유리수 x의 역수 y
> ㉢ 자연수 x보다 작은 홀수 y
> ㉣ 우리 반에서 x월에 태어난 학생의 번호 y번
> ㉤ 가로의 길이가 x cm이고 넓이가 24 cm²인 직사각형의 세로의 길이 y cm

① ㉠, ㉡   ② ㉠, ㉤   ③ ㉡, ㉢
④ ㉢, ㉣   ⑤ ㉣, ㉤

2 함수 $f(x)=-4x$에 대하여 $f\left(-\dfrac{1}{2}\right)+\dfrac{1}{4}f(3)$의 값을 구하시오.

3 함수 $f(x)=x-a$에서 $f(1)=3$, $f(2)=b$일 때, a, b의 값을 각각 구하면? (단, a는 상수)

① $a=-4$, $b=2$ ② $a=-2$, $b=4$
③ $a=0$, $b=4$ ④ $a=2$, $b=-4$
⑤ $a=4$, $b=-2$

4 다음 중 y가 x에 대한 일차함수인 것은?

① 자연수 x의 배수 y
② 자연수 x보다 작은 소수 y
③ 한 변의 길이가 x cm인 정사각형의 넓이 y cm²
④ 1개당 무게가 4 g인 과자 x개의 전체 무게 y g
⑤ 밑변의 길이가 x cm이고 넓이가 8 cm²인 삼각형의 높이 y cm

5 일차함수 $y=\dfrac{1}{2}x+5$의 그래프가 두 점 $(m, 3)$, $(-4, n)$을 지날 때, $m+n$의 값은?

① -2 ② -1 ③ 1

④ 2 ⑤ 3

6 일차함수 $y=ax$의 그래프를 y축의 방향으로 2만큼 평행이동한 그래프가 일차함수 $y=-2x+b$의 그래프와 일치할 때, 상수 a, b의 값을 각각 구하시오.

7 일차함수 $y=2x+3$의 그래프를 y축의 방향으로 -7만큼 평행이동한 그래프를 나타내는 일차함수의 식은?

① $y=-2x-3$ ② $y=-2x+4$

③ $y=2x-4$ ④ $y=2x-3$

⑤ $y=2x+8$

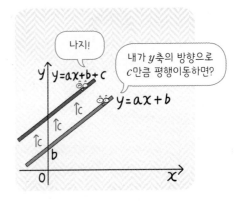

8 일차함수 $y=-\dfrac{4}{3}x+1$의 그래프를 y축의 방향으로 a만큼 평행이동하면 점 $(-3, 2)$를 지난다. 이때 a의 값을 구하시오.

공부할 내용

❶ 일차함수의 그래프의 x절편, y절편
❷ 일차함수의 그래프의 기울기
❸ 일차함수의 그래프의 성질
❹ 일차함수의 그래프의 평행과 일치

이것만은 꼭꼭!

(1) $y=3x+2$의 x절편은 ❶ 　　　 , y절편은 ❷ 　　　 , 기울기는 ❸ 　　　 이다.

(2) 두 일차함수 $y=ax+b$, $y=cx+d$의 그래프에서

① $a=c$, $b\neq d$이면 ❹(평행하다, 일치한다).

② $a=c$, $b=d$이면 ❺(평행하다, 일치한다).

답 ❶ $-\dfrac{2}{3}$　❷ 2　❸ 3　❹ 평행하다　❺ 일치한다

4일 교과서 **핵심 정리**

핵심 1 일차함수의 그래프의 x절편, y절편

(1) x절편 : 일차함수의 그래프가 x축과 만나는 점의 x좌표

  ➡ $y=$ ❶   일 때의 x의 값

(2) y절편 : 일차함수의 그래프가 y축과 만나는 점의 y좌표

  ➡ $x=0$일 때의 ❷   의 값

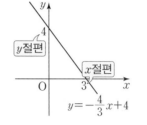

(3) x절편과 y절편을 이용하여 일차함수의 그래프 그리기

  ❶ x절편, y절편을 구하여 x축, y축과 만나는 두 점을 좌표평면 위에 나타낸다.

  ❷ 두 점을 직선으로 연결한다.

  예 일차함수 $y=-2x+4$의 그래프를 그려 보자.

  $y=-2x+4$에 $y=0$을 대입하면

  $0=-2x+4$ $\therefore x=2$

  즉 x절편은 ❸   이다.

  $y=-2x+4$에 $x=0$을 대입하면

  $y=-2\times0+4=4$

  즉 y절편은 ❹   이다.

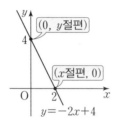

  따라서 일차함수 $y=-2x+4$의 그래프는 위의 그림과 같이 두 점 $(2, 0)$, $(0, 4)$를 지나는 직선이다.

❶ 0

❷ y

❸ 2

❹ 4

핵심 2 일차함수의 그래프의 기울기

(1) 일차함수 $y=ax+b\,(a\neq0)$의 그래프에서

  $$(\text{기울기})=\frac{(❺\ \text{의 값의 증가량})}{(x\text{의 값의 증가량})}=a\ (\text{일정})$$

  예 오른쪽 그림과 같은 일차함수의 그래프에서

  $$(\text{기울기})=\frac{(y\text{의 값의 증가량})}{(x\text{의 값의 증가량})}$$

  $$=\frac{2}{1}=\frac{4}{2}=❻$$

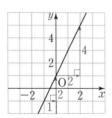

(2) **기울기와 y절편을 이용하여 일차함수의 그래프 그리기**

  ❶ 점 $(0, ❼\ )$을 좌표평면 위에 나타낸다.

  ❷ 기울기를 이용하여 그래프가 지나는 다른 한 점을 찾는다.

  ❸ 두 점을 ❽   으로 연결한다.

❺ y

❻ 2

❼ y절편

❽ 직선

시험지 속 개념 문제

정답과 풀이 **83쪽**

1 두 일차함수 ㉠, ㉡의 그래프가 다음 그림과 같을 때, 각각의 x절편, y절편, 기울기를 각각 구하시오.

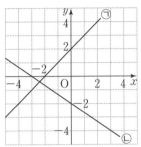

2 다음 일차함수의 그래프의 x절편, y절편, 기울기를 각각 구하시오.

(1) $y=-x+2$

(2) $y=2x-3$

(3) $y=-\dfrac{5}{3}x+5$

3 일차함수 $y=4x-1$의 그래프에서 x의 값이 2만큼 증가할 때, y의 값의 증가량을 구하시오.

4 다음 중 일차함수 $y=-\dfrac{3}{2}x+3$의 그래프는?

① 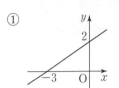 ②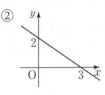

③ 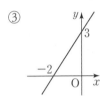 ④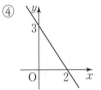

⑤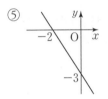

5 기울기와 y절편을 이용하여 다음 일차함수의 그래프를 좌표평면 위에 그리시오.

(1) $y=\dfrac{1}{2}x+1$

(2) $y=-\dfrac{1}{2}x-1$

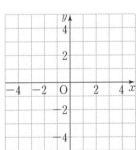

점 $(0, y$절편$)$을 좌표평면 위에 먼저 나타내고 기울기를 이용하여 그래프가 지나는 다른 한 점을 찾아.

${\bf 4}_{일}$ 교과서 **핵심 정리**

핵심 3 일차함수의 그래프의 성질

일차함수 $y = ax + b(a \neq 0)$의 그래프에서

(1) a**의 부호** : 그래프의 **❶**〔　　　〕 결정 **❶** 모양

① $a > 0$일 때, x의 값이 증가하면 y의 값도 증가한다.

➡ 그래프는 오른쪽 **❷**〔　　　〕 향하는 직선이다. **❷** 위로

② $a < 0$일 때, x의 값이 증가하면 y의 값은 감소한다.

➡ 그래프는 오른쪽 아래로 향하는 직선이다.

(2) b**의 부호** : 그래프가 **❸**〔　　　〕과 만나는 부분 결정 **❸** y축

① $b > 0$이면 y절편이 양수이다.

➡ 그래프가 y축과 양의 부분에서 만난다.

② $b < 0$이면 y절편이 **❹**〔　　　〕이다. **❹** 음수

➡ 그래프가 y축과 음의 부분에서 만난다.

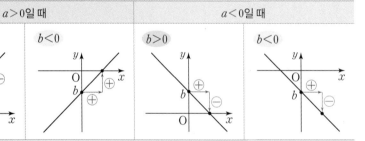

핵심 4 일차함수의 그래프의 평행과 일치

(1) 기울기가 같은 두 일차함수의 그래프는 서로 **❺**〔　　　〕하거나 일치한다. **❺** 평행

(2) 서로 평행한 두 일차함수의 그래프의 기울기는 서로 **❻**〔　　　〕. **❻** 같다

〔예〕 두 일차함수 $y = 2x + 2$, $y = 2x - 3$의 그래프는 일차함수 $y = 2x$의 그래프를 y축의 방향으로 각각 2, -3만큼 평행이동한 것이다.

따라서 세 일차함수 $y = 2x$, $y = 2x + 2$, $y = 2x - 3$의 그래프는 서로 **❼**〔　　　〕하고, 그 기울기는 모두 **❽**〔　　　〕로 같다.

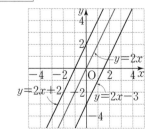

❼ 평행

❽ 2

시험지 속 개념 문제

정답과 풀이 83쪽

6 a, b의 부호가 다음과 같을 때, 일차함수 $y=ax+b$의 그래프를 오른쪽 그림의 ①~⑤ 중에서 모두 고르시오. (단, a, b는 상수)

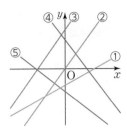

(1) $a>0$　　　(2) $a<0$

(3) $b>0$　　　(4) $b<0$

(5) $b=0$

7 일차함수 $y=-\dfrac{2}{3}x+1$의 그래프에 대하여 다음 물음에 답하시오.

(1) 기울기와 y절편을 각각 구하시오.

(2) 기울기와 y절편을 이용하여 아래 좌표평면 위에 그래프를 그리시오.

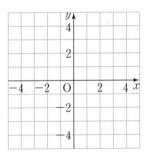

(3) 다음에서 옳은 것에 ○표 하시오.
　① 그래프는 오른쪽 (위, 아래)로 향하는 직선이다.
　② 그래프는 제 (1, 2, 3, 4) 사분면을 지나지 않는다.

8 일차함수 $y=\dfrac{1}{2}x+2$의 그래프에 대하여 다음 물음에 답하시오.

(1) 기울기와 y절편을 각각 구하시오.

(2) 기울기와 y절편을 이용하여 아래 좌표평면 위에 그래프를 그리시오.

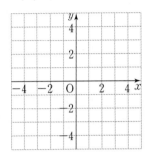

(3) 다음에서 옳은 것에 ○표 하시오.
　① 그래프는 오른쪽 (위, 아래)로 향하는 직선이다.
　② 그래프는 제 (1, 2, 3, 4) 사분면을 지나지 않는다.

9 아래 보기의 일차함수의 그래프에 대하여 다음 물음에 답하시오.

┌ 보기 ┐
　㉠ $y=6x+1$　　　㉡ $y=-6x+1$
　㉢ $y=-6x-4$　　　㉣ $y=-4x+6$
　㉤ $y=2(3x-2)$　　　㉥ $y=-2(2x-3)$

(1) 서로 평행한 것끼리 짝을 지으시오.

(2) 서로 일치하는 것끼리 짝을 지으시오.

먼저 ㉤, ㉥은 괄호를 풀어 간단히 정리해 봐!

4일 교과서 기출 베스트 1회

대표 예제 1

일차함수 $y=-3x+3$의 그래프의 x절편을 a, y절편을 b, 기울기를 c라 할 때, $a+b+c$의 값은?

① 1　　　② 3　　　③ 4

④ 6　　　⑤ 7

> **개념 가이드**
>
> 일차함수 $y=ax+b$의 그래프에서
>
> (1) 기울기 : ①　(2) x절편 : $-\dfrac{b}{a}$　(3) y절편 : ②
>
> **답** ① a　② b

대표 예제 2

다음 그림에서 ㉠, ㉡에 알맞은 수를 각각 구하시오.

$y=\dfrac{3}{2}x+$ ㉠ 의 그래프의 y절편은 6이야.

그럼 x절편은 ㉡ 이구나!

> **개념 가이드**
>
> 주어진 일차함수의 식에 $y=$ ① 을 대입하면 x절편을 구할 수 있다.
>
> **답** ① 0

대표 예제 3

일차함수 $y=2x+4$의 그래프가 x축, y축과 만나는 점을 각각 P, Q라 할 때, $\triangle POQ$의 넓이를 구하시오. (단, 점 O는 원점이다.)

> **개념 가이드**
>
> x절편이 k이다. ➡ x축과 만나는 점의 x좌표가 k이다.
>
> ➡ 점 (① , 0)을 지난다.
>
> ➡ $y=$ ② 일 때, x의 값이 k이다.
>
> **답** ① k　② 0

대표 예제 4

다음 일차함수의 그래프 중 x의 값이 2만큼 증가할 때, y의 값이 6만큼 감소하는 것은?

① $y=3x-3$　　② $y=-\dfrac{x}{3}+1$

③ $y=1-3x$　　④ $y=-3+2x$

⑤ $y=-0.3x+2$

> **개념 가이드**
>
> 일차함수 $y=ax+b$의 그래프에서
>
> $(\text{기울기})=\dfrac{(y\text{의 값의 증가량})}{(\text{① 의 값의 증가량})}=$ ②
>
> x의 계수
>
> **답** ① x　② a

대표 예제 **5**

세 점 $A(-1, 2)$, $B(2, -1)$, $C(5, a)$가 한 직선 위에 있을 때, a의 값은?

① -4 ② -3 ③ -2

④ 3 ⑤ 4

🧭 개념 가이드

세 점 A, B, C가 한 직선 위에 있을 때

($\overleftrightarrow{AB}$의 기울기)=($\boxed{①}$의 기울기)=($\overleftrightarrow{CA}$의 기울기)

답 ①$\overleftrightarrow{BC}$

대표 예제 **6**

다음 일차함수의 그래프 중 제2사분면을 지나지 <u>않는</u> 것은?

① $y=2x+5$ ② $y=x+2$

③ $y=\dfrac{1}{2}x-3$ ④ $y=-\dfrac{3}{2}x-1$

⑤ $y=-2x+7$

🧭 개념 가이드

일차함수의 그래프가 제2사분면을 지나지 않으려면 기울기는 $\boxed{①}$이고, y절편은 $\boxed{②}$이어야 한다.

답 ① 양수 ② 음수

대표 예제 **7**

일차함수 $y=ax+b$의 그래프가 오른쪽 그림과 같을 때, 상수 a, b의 부호를 각각 구하면?

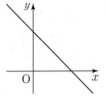

① $a>0$, $b>0$

② $a>0$, $b=0$

③ $a>0$, $b<0$

④ $a<0$, $b>0$

⑤ $a<0$, $b<0$

🧭 개념 가이드

일차함수 $y=ax+b$의 그래프가

(1) 오른쪽 위로 향한다. ➡ a $\boxed{①}$ 0

    오른쪽 아래로 향한다. ➡ $a<0$

(2) y축과 양의 부분에서 만난다. ➡ $b>0$

    y축과 음의 부분에서 만난다. ➡ b $\boxed{②}$ 0

답 ① $>$ ② $<$

대표 예제 **8**

두 일차함수 $y=\dfrac{a}{4}x-2$, $y=3x-1$의 그래프가 서로 평행할 때, 상수 a의 값은?

① 6 ② 8 ③ 10

④ 12 ⑤ 13

🧭 개념 가이드

두 일차함수의 그래프가 서로 평행하려면 $\boxed{①}$는 같고, $\boxed{②}$은 달라야 한다.

답 ① 기울기 ②y절편

1 일차함수 $y = 2x + 8$의 그래프에 대한 다음 대화에서 ㉠~㉢에 알맞은 수를 각각 구하시오.

x절편은 ㉠이야.

y절편은 ㉡이야.

기울기는 ㉢이야.

2 일차함수 $y = -\dfrac{3}{4}x + b$의 그래프의 y절편이 3일 때, x절편을 구하시오. (단, b는 상수)

3 일차함수 $y = \dfrac{1}{2}x - 3$의 그래프가 x축, y축과 만나는 점을 각각 P, Q라 할 때, 다음 물음에 답하시오.

(1) 두 점 P, Q의 좌표를 각각 구하시오.

(2) 일차함수 $y = \dfrac{1}{2}x - 3$의 그래프를 아래 좌표평면 위에 그리시오.

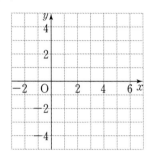

(3) △POQ의 넓이를 구하시오. (단, 점 O는 원점이다.)

4 일차함수 $y = \dfrac{5}{3}x + \dfrac{1}{3}$의 그래프에서 x의 값이 2에서 11까지 증가할 때, y의 값의 증가량은?

① -20 ② -15 ③ -5

④ 15   ⑤ 20

5 세 점 $A(-1, -3)$, $B(1, -1)$, $C(a, 1)$이 한 직선 위에 있을 때, a의 값은?

① -3 ② -1 ③ 0

④ 1 ⑤ 3

7 일차함수 $y=ax+b$의 그래프가 오른쪽 그림과 같을 때, 다음 중 일차함수 $y=ax-b$의 그래프로 알맞은 것은?

(단, a, b는 상수)

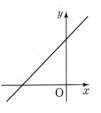

① 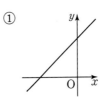 ②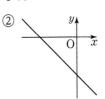

③ 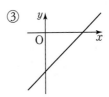 ④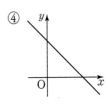

⑤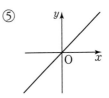

6 다음은 일차함수 $y=-\dfrac{1}{3}x$의 그래프를 y축의 방향으로 6만큼 평행이동한 그래프에 대한 학생들의 대화이다. 바르게 설명한 학생을 모두 고르시오.

점 $(3, 4)$를 지나. — 경수

그래프는 오른쪽 아래로 향하는 직선이야. — 세정

제2, 3, 4사분면을 지나. — 지훈

그래프는 y축과 양의 부분에서 만나. — 호정

8 두 일차함수 $y=2ax+3$, $y=\dfrac{1}{4}x+\dfrac{1}{2}b$의 그래프가 서로 일치할 때, ab의 값은? (단, a, b는 상수)

① -1 ② $-\dfrac{3}{4}$ ③ $\dfrac{3}{4}$

④ 1 ⑤ $\dfrac{4}{3}$

두 일차함수의 그래프가 일치하려면 기울기도 같고 y절편도 같아야 해!

4일 **45**

5일 일차함수와 일차방정식

이것만은 꼭꼭!

(1) 일차방정식 $3x-y-2=0$의 그래프와 일차함수 $y=3x-2$의 그래프는 ❶(같다, 다르다).

(2) 방정식 $x=2$의 그래프는 ❷(x축, y축)에 평행하고,
방정식 $y=-3$의 그래프는 ❸(x축, y축)에 평행하다.

답 ❶ 같다 ❷ y축 ❸ x축

핵심 1 일차함수의 식 구하기

(1) **기울기와 y절편을 알 때**

  예 기울기가 -2, y절편이 5인 직선을 그래프로 하는 일차함수의 식은

  $y = -2x +$ ❶[　　]

  ❶ 5

(2) **기울기와 한 점의 좌표를 알 때**

  예 기울기가 2이고 점 $(1, 5)$를 지나는 직선을 그래프로 하는 일차함수의 식을 구해 보자.

  ❶ $y = 2x + b$로 놓는다.

  ❷ 점 $(1, 5)$를 지나므로 $y = 2x + b$에 $x = 1$, $y = 5$를 대입하면

  $5 = 2 \times 1 + b$ $\quad \therefore b =$ ❷[　　]

  따라서 구하는 일차함수의 식은 $y = 2x +$ ❸[　　]

  ❷ 3

  ❸ 3

(3) **두 점의 좌표를 알 때**

  예 두 점 $(1, 2)$, $(4, -4)$를 지나는 직선을 그래프로 하는 일차함수의 식을 구해 보자.

  ❶ $a = \dfrac{(y\text{의 값의 증가량})}{(x\text{의 값의 증가량})} = \dfrac{-4-2}{4-1} = \dfrac{-6}{3} =$ ❹[　　] 이므로

  $y = -2x + b$로 놓는다.

  ❷ 점 $(1, 2)$를 지나므로 $y = -2x + b$에 $x = 1$, $y = 2$를 대입하면

  $2 = -2 \times 1 + b$ $\quad \therefore b =$ ❺[　　]

  따라서 구하는 일차함수의 식은 $y = -2x + 4$

  ❹ -2

  ❺ 4

핵심 2 일차함수의 활용

변수 x, y 정하기	→	일차함수의 식 세우기	→	답 구하기	→	확인하기

예 길이가 20 cm인 용수철이 있다. 이 용수철은 무게가 10 g인 물건을 매달 때마다 길이가 2 cm씩 늘어난다고 한다. 이 용수철에 무게가 45 g인 물건을 매달 때, 용수철의 길이를 구해 보자.

  ❶ 무게가 x g인 물건을 매달 때, 용수철의 길이를 y cm라 하자.

  ❷ 무게가 10 g인 물건을 매달 때마다 용수철의 길이가 2 cm씩 늘어나므로 무게가 1 g인 물건을 매달 때마다 용수철의 길이는 ❻[　　] cm씩 늘어난다.

  따라서 x와 y 사이의 관계식은 $y =$ ❼[　　] $+ 0.2x$

  ❸ $y = 20 + 0.2x$에 $x = 45$를 대입하면 $y =$ ❽[　　]

  따라서 무게가 45 g인 물건을 매달 때, 용수철의 길이는 29 cm이다.

  ❻ 0.2

  ❼ 20

  ❽ 29

시험지 속 개념 문제

정답과 풀이 **86쪽**

1 다음 직선을 그래프로 하는 일차함수의 식을 구하시오.

(1) 기울기가 -2이고, y절편이 3인 직선

(2) 기울기가 3이고, 점 $(1, 4)$를 지나는 직선

(3) 두 점 $(2, 3)$, $(4, 7)$을 지나는 직선

2 다음 직선을 그래프로 하는 일차함수의 식을 구하시오.

(1) 일차함수 $y = -x - 2$의 그래프와 평행하고, y절편이 4인 직선

(2) x의 값이 1만큼 증가할 때 y의 값은 3만큼 증가하고, 점 $(1, 6)$을 지나는 직선

3 x절편이 -5, y절편이 5인 직선을 그래프로 하는 일차함수의 식은?

① $y = -x - 5$ ② $y = -x + 1$

③ $y = x - 5$ ④ $y = x + 1$

⑤ $y = x + 5$

4 다음 표는 온도가 $16\,^\circ\text{C}$인 물을 끓이면서 2분마다 물의 온도를 측정한 결과이다. 물음에 답하시오.

시간(분)	0	2	4	6	⋯
온도($^\circ$C)	16	28	40	52	⋯

(1) 물을 끓이기 시작한 지 x분 후의 물의 온도를 $y\,^\circ\text{C}$라 할 때, x와 y 사이의 관계식을 구하시오.

(2) 물을 끓이기 시작한 지 9분 후의 물의 온도를 구하시오.

5일 교과서 핵심 정리

핵심 3 일차방정식과 일차함수 사이의 관계

일차방정식 $ax+by+c=0$ $(a, b, c$는 상수, $a\neq0, b\neq0)$의 그래프는 일차함수

$y=-\dfrac{a}{b}x-$ ❶ 의 그래프와 같다.

❶ $\dfrac{c}{b}$

핵심 4 방정식 $x=p, y=q$의 그래프

(1) **방정식 $x=p$의 그래프** : 점 $(p, 0)$을 지나고 ❷ 에 평행한
직선
→ x축에 수직

❷ y축

(2) **방정식 $y=q$의 그래프** : 점 $(0, q)$를 지나고 ❸ 에 평행한
직선
→ y축에 수직

❸ x축

(3) **직선의 방정식** : 일차방정식 $ax+by+c=0$ $(a, b, c$는 상수,
$a\neq0$ 또는 $b\neq0)$에서 x, y의 값의 범위가 수 전체일 때, 이 일차방정식의 해의 순서
쌍 (x, y)를 좌표로 하는 점을 좌표평면 위에 나타내면 ❹ 이 된다.
이때 일차방정식 $ax+by+c=0$을 ❺ 의 방정식이라 한다.

❹ 직선

❺ 직선

핵심 5 일차함수의 그래프와 연립방정식의 해

(1) 연립방정식 $\begin{cases} ax+by+c=0 \\ a'x+b'y+c'=0 \end{cases}$ 의 해는 두 일차방
정식 $ax+by+c=0, a'x+b'y+c'=0$의 그래프
의 ❻ 의 좌표와 같다.

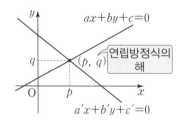

❻ 교점

(2) **연립방정식의 해의 개수와 그래프**

두 일차방정식의 그래프의 위치 관계	한 점에서 만난다.	평행하다.	일치한다.
두 그래프의 교점의 개수	한 개이다.	없다.	❼ .
연립방정식의 해의 개수	한 쌍의 해를 갖는다.	해가 ❽ .	해가 무수히 많다.
기울기와 y절편	기울기가 다르다.	기울기는 같고 y절편은 다르다.	기울기와 y절편이 각각 같다.

❼ 무수히 많다

❽ 없다

시험지 속 개념 문제

정답과 풀이 **86쪽**

5 다음 일차방정식을 일차함수 $y=ax+b$의 꼴로 나타내고, 기울기, x절편, y절편을 각각 구하시오.

(단, a, b는 상수)

(1) $2x-y-5=0$

(2) $-6x-3y+9=0$

6 다음 방정식의 그래프를 아래 좌표평면 위에 그리시오.

(1) $x=-3$ (2) $-3y=3$

(3) $2y-4=0$ (4) $6x-6=0$

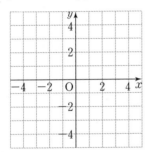

7 두 일차함수 $x-y=3$, $3x-y=7$의 그래프가 오른쪽 그림과 같을 때, 연립방정식 $\begin{cases} x-y=3 \\ 3x-y=7 \end{cases}$의 해는?

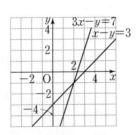

① $(-2, 1)$ ② $(-1, -2)$

③ $(1, -2)$ ④ $(1, 2)$

⑤ $(2, -1)$

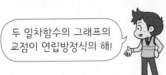

두 일차함수의 그래프의
교점이 연립방정식의 해!

8 다음 연립방정식의 각 일차방정식의 그래프를 좌표평면 위에 그리고, 이를 이용하여 연립방정식의 해를 구하시오.

(1) $\begin{cases} 2x-y-1=0 \\ x+y-2=0 \end{cases}$

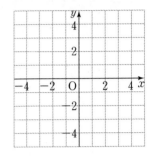

(2) $\begin{cases} 2x-y=2 \\ 4x-2y=-4 \end{cases}$

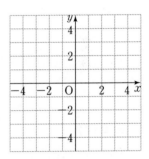

(3) $\begin{cases} x+3y=3 \\ 4x+12y=12 \end{cases}$

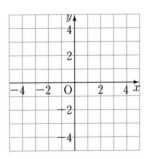

5일 교과서 기출 베스트 1회

대표 예제 1

기울기가 $\frac{1}{2}$이고, 점 $(0, -7)$을 지나는 직선을 그래프로 하는 일차함수의 식은?

① $y=-\frac{1}{2}x-7$ ② $y=-\frac{1}{2}x+7$

③ $y=\frac{1}{2}x-7$ ④ $y=\frac{1}{2}x+7$

⑤ $y=2x-7$

개념 가이드

$y=ax+b=(\boxed{①\quad})\times x+(y절편)$

답 ① 기울기

대표 예제 2

다음을 만족시키는 직선을 그래프로 하는 일차함수의 식을 $y=ax+b$라 할 때, ab의 값을 구하시오.

(단, a, b는 상수)

(가) x의 값이 3만큼 증가할 때, y의 값은 2만큼 감소한다.

(나) 점 $(-3, 5)$를 지난다.

개념 가이드

x의 값이 m만큼 증가할 때, y의 값은 n만큼 증가하는 직선이다.

→ (기울기)$=\boxed{①}$

답 ① $\frac{n}{m}$

대표 예제 3

두 점 $(-1, 3)$, $(5, 9)$를 지나는 직선을 그래프로 하는 일차함수의 식은?

① $y=-2x-2$ ② $y=-x+4$

③ $y=x-4$ ④ $y=x+4$

⑤ $y=2x+2$

개념 가이드

직선이 두 점 (x_1, y_1), (x_2, y_2)를 지난다. (단, $x_1 \neq x_2$)

→ (기울기)$=\dfrac{y_2-y_1}{\boxed{①}}=\dfrac{\boxed{②}}{x_1-x_2}$

답 ① x_2-x_1 ② y_1-y_2

대표 예제 4

1 L의 휘발유로 12 km를 달릴 수 있는 자동차가 있다. 이 자동차에 40 L의 휘발유를 넣고 x km를 달린 후 남은 연료의 양을 y L라 할 때, 남은 연료가 15 L가 되는 것은 몇 km를 달린 후인지 구하시오.

개념 가이드

$\boxed{①}$ 와 y 사이의 관계식을 세운다.

답 ① x

대표 예제 5

다음 중 일차방정식 $4x-2y-1=0$의 그래프에 설명으로 옳은 것을 모두 고르면? (정답 2개)

① x의 값이 증가할 때, y의 값은 감소한다.

② 일차함수 $y=2x-1$의 그래프와 일치한다.

③ 제2사분면을 지나지 않는다.

④ 일차함수 $y=2x$의 그래프와 평행하다.

⑤ y축과 만나는 점의 y좌표는 $\dfrac{1}{2}$이다.

⊘ **개념 가이드**

미지수가 2개인 일차방정식 $ax+by+c=0$(a, b, c는 상수, $a\neq0, b\neq0$)의 그래프는 일차함수 $y=-\boxed{①}x-\boxed{②}$의 그래프와 같다.

답 ① $\dfrac{a}{b}$ ② $\dfrac{c}{b}$

대표 예제 7

두 일차방정식 $ax+2y=3$, $x+y=5$의 그래프가 오른쪽 그림과 같을 때, 상수 a의 값은?

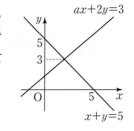

① $-\dfrac{5}{2}$ ② -2

③ $-\dfrac{3}{2}$ ④ -1

⑤ $-\dfrac{1}{2}$

⊘ **개념 가이드**

두 일차방정식의 그래프의 교점의 좌표가 (p, q)이다.

→ 각 일차방정식에 $x=\boxed{①}$, $y=q$를 대입하면 $\boxed{②}$이 성립한다.

답 ① p ② 등식

대표 예제 6

점 $(-2, 5)$를 지나고, x축에 평행한 직선의 방정식은?

① $x=-2$ ② $x=5$ ③ $y=-2$

④ $y=5$ ⑤ $y=-2x+5$

⊘ **개념 가이드**

점 (a, b)를 지나고

(1) x축에 평행한 직선의 방정식 → $y=\boxed{①}$

(2) y축에 평행한 직선의 방정식 → $x=\boxed{②}$

답 ① b ② a

대표 예제 8

연립방정식 $\begin{cases} ax+6y=3 \\ 2x+by=-1 \end{cases}$의 해가 무수히 많을 때, $a-b$의 값을 구하시오. (단, a, b는 상수)

⊘ **개념 가이드**

연립방정식의 해가 무수히 많다.

→ 두 일차방정식의 그래프가 서로 $\boxed{①}$한다.

답 ① 일치

1 일차함수 $y=-\dfrac{1}{2}x+\dfrac{1}{5}$의 그래프와 평행하고, 일차함수 $y=-5x-2$의 그래프와 y축에서 만나는 직선을 그래프로 하는 일차함수의 식은?

① $y=-5x+\dfrac{1}{5}$ ② $y=-5x+5$

③ $y=-\dfrac{1}{2}x-2$ ④ $y=-\dfrac{1}{2}x-\dfrac{1}{2}$

⑤ $y=\dfrac{1}{2}x-2$

2 일차함수 $y=3x+4$의 그래프와 평행하고, 점 $(2,0)$을 지나는 일차함수의 그래프가 점 $(5,k)$를 지날 때, k의 값은?

① 9   ② 12   ③ 15
④ 18   ⑤ 21

3 오른쪽 그림과 같은 일차함수의 그래프의 y절편은?

① 1   ② $\dfrac{3}{2}$

③ 2   ④ $\dfrac{5}{2}$

⑤ 4

4 길이가 20 cm인 어느 양초에 불을 붙이면 2시간에 5 cm씩 일정한 속력으로 탄다고 한다. 양초에 불을 붙인 지 x시간 후에 남은 양초의 길이를 y cm라 할 때, x와 y 사이의 관계식은?

① $y=-\dfrac{5}{2}x-20$ ② $y=-\dfrac{5}{2}x+20$

③ $y=-\dfrac{2}{5}x+20$ ④ $y=\dfrac{2}{5}x-20$

⑤ $y=\dfrac{5}{2}x+20$

5 다음 중 일차방정식 $3x-y+1=0$의 그래프에 대한 설명으로 옳은 것은?

① y절편은 -1이다.

② 기울기는 3이다.

③ 제3사분면을 지나지 않는다.

④ x축과 만나는 점의 좌표는 $\left(\dfrac{1}{3},\,0\right)$이다.

⑤ 일차함수 $y=-3x+1$의 그래프와 평행하다.

7 오른쪽 그림은 연립방정식 $\begin{cases} x-y=-b \\ ax+3y=a-1 \end{cases}$ 을 풀기 위해 두 일차방정식의 그래프를 그린 것이다. 이때 $a+b$의 값을 구하시오. (단, a, b는 상수)

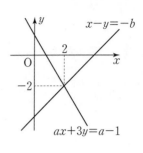

6 오른쪽 그림과 같은 직선과 평행하고 점 $(1,\,0)$을 지나는 직선의 방정식은?

① $x=0$ 　② $x=1$

③ $y=1$ 　④ $y=x$

⑤ $y=-x$

난 x축에 평행하고, y축에 수직이야.

난 y축에 평행하고, x축에 수직이야.

8 연립방정식 $\begin{cases} 2x-4y=5 \\ -x+2y=a \end{cases}$ 의 해가 없을 때, 다음 중 상수 a의 값이 될 수 <u>없는</u> 것은?

① $-\dfrac{5}{2}$ 　② -1 　③ 0

④ $\dfrac{3}{2}$ 　⑤ 2

해가 없다는 것은 두 그래프의 교점이 없다는 뜻이지. 즉 두 직선이 평행하다는 뜻~!

평행

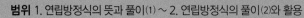

6일 누구나 **100점 테스트** 1회

1 다음 중 미지수가 2개인 일차방정식인 것은?

① $y=2x+1$

② $3x+5=9$

③ $4x-2y+5$

④ $x^2-2x=y$

⑤ $3x+y+7=-(1-y)$

2 다음 일차방정식 중 $x=2$, $y=-3$을 해로 갖는 것은?

① $x-y=1$ ② $x-3y=11$

③ $2x-y=-6$ ④ $3x+2y=12$

⑤ $4x-3y=-15$

3 x, y가 자연수일 때, 일차방정식 $2x+3y=10$을 만족시키는 순서쌍 (x, y)의 개수는?

① 1 ② 2 ③ 3

④ 4 ⑤ 5

4 다음 중 해가 $x=2$, $y=-1$인 연립방정식을 말한 학생을 고르시오.

지은
$$\begin{cases} x+y=1 \\ x-y=5 \end{cases}$$

우정
$$\begin{cases} 2x-y=3 \\ x+2y=-4 \end{cases}$$

희철
$$\begin{cases} 3x+2y=4 \\ 5x+y=11 \end{cases}$$

정신
$$\begin{cases} -x+y=-5 \\ 2x-3y=7 \end{cases}$$

은채
$$\begin{cases} x-2y=4 \\ 4x+y=7 \end{cases}$$

5 연립방정식 $\begin{cases} x+y=1 \\ ax-2y=3 \end{cases}$의 해가 $(5, b)$일 때, $2a-b$의 값은? (단, a는 상수)

① -1 ② 0 ③ 1

④ 2 ⑤ 3

6 연립방정식 $\begin{cases} x=y+3 \\ 2x-3y=2 \end{cases}$ 의 해를 $x=a$, $y=b$라 할 때, $a-b$의 값은?

① -4 ② -3 ③ -1
④ 1 ⑤ 3

7 연립방정식 $\begin{cases} 2x+3y=4 \\ -x+2y=5 \end{cases}$ 를 푸시오.

8 연립방정식 $\begin{cases} 0.2x-y=-1.2 \\ \dfrac{3}{2}x+\dfrac{13}{4}y=\dfrac{7}{4} \end{cases}$ 을 풀면?

① $x=-3$, $y=-1$ ② $x=-1$, $y=1$
③ $x=1$, $y=1$ ④ $x=3$, $y=-4$
⑤ $x=3$, $y=4$

9 다음은 서영이가 연필과 볼펜을 사고 받은 영수증인데, 얼룩이 져서 일부가 보이지 않는다. 서영이는 연필과 볼펜을 각각 몇 자루 샀는지 구하시오.

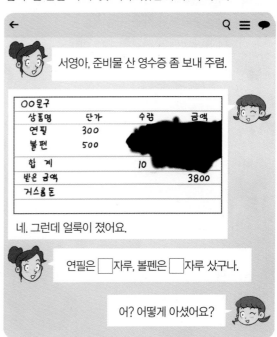

10 다음 대화에서 현재 아버지의 나이를 구하시오.

6일 누구나 100점 테스트 2회

1 다음 중 y가 x의 함수인 것은?

① 자연수 x보다 큰 음수 y

② 자연수 x보다 큰 짝수 y

③ 자연수 x보다 작은 수 y

④ 나이가 x세인 사람의 키 y cm

⑤ 1개당 무게가 6 g인 과자 x개의 총무게 y g

2 함수 $f(x)=x+1$에 대하여 $f(-2)+2f(1)$의 값은?

① 1 　　② 2 　　③ 3

④ 4 　　⑤ 5

3 다음 중 y가 x에 대한 일차함수인 것은?

① $y=7$ 　　② $y=\dfrac{6}{x}$

③ $y=1-\dfrac{x}{8}$ 　　④ $y=-x-x^2$

⑤ $y=x(x+7)$

4 다음 중 일차함수 $y=\dfrac{1}{3}x-3$의 그래프에 대하여 바르게 설명한 학생을 모두 고른 것은?

민호: x절편은 9야.

민지: 제1, 2, 3, 4 사분면을 모두 지나.

수진: 일차함수 $y=\dfrac{1}{3}x$의 그래프와 평행해.

① 민호 　　② 민지 　　③ 수진

④ 민호, 민지 　　⑤ 민호, 수진

5 일차함수 $y=-4x$의 그래프를 y축의 방향으로 -2만큼 평행이동한 그래프가 점 $(1, a)$를 지날 때, a의 값은?

① -6 　　② -2 　　③ -1

④ 1 　　⑤ 6

6 다음 그림을 보고 두 학생이 설명한 직선을 그래프로 하는 일차함수의 식은?

① $y=-3x-2$ ② $y=-3x+4$

③ $y=-x+4$ ④ $y=3x+2$

⑤ $y=3x+4$

7 일차함수 $y=ax+b$의 그래프가 오른쪽 그림과 같을 때, 일차함수 $y=-ax+b$의 그래프가 지나지 <u>않는</u> 사분면은?

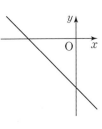

(단, a, b는 상수)

① 제1사분면 ② 제2사분면

③ 제3사분면 ④ 제4사분면

⑤ 제1, 3사분면

8 다음 보기의 방정식 중 그래프가 좌표축에 평행한 것을 모두 고르시오.

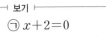
┌─ 보기 ┬─────────────────
│ ㉠ $x+2=0$ ㉡ $y-1=5x$
│ ㉢ $x+4y=3$ ㉣ $2(x+y)-1=2x$
└──────────────────────────

9 다음 중 일차방정식 $3x+y-1=0$의 그래프에 대하여 바르게 설명한 학생을 모두 고르시오.

10 오른쪽 그림은 연립방정식 $\begin{cases} x-3y=2 \\ 2x-y=-1 \end{cases}$ 을 풀기 위해 두 일차방정식의 그래프를 그린 것이다. 이 연립방정식의 해는?

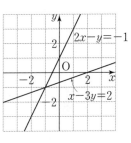

① $(-1, -1)$ ② $(-1, 0)$ ③ $(0, -1)$

④ $(0, 0)$ ⑤ $(1, 1)$

1 다음 연립방정식의 풀이 과정을 아래 단계에 따라 쓰시오.

[**❶단계**] 연립방정식을 만족시키는 한 미지수의 값 구하기

[**❷단계**] 다른 한 미지수의 값 구하기

[**❸단계**] 연립방정식의 해 구하기

(1) $\begin{cases} y=2x-4 \\ x+3y=9 \end{cases}$

　[**❶단계**]

　[**❷단계**]

　[**❸단계**]

(2) $\begin{cases} -2x+3y=4 \\ 5x+2y=28 \end{cases}$

　[**❶단계**]

　[**❷단계**]

　[**❸단계**]

2 아래 보기에 대하여 다음 물음에 답하시오.

┌ 보기 ┐
㉠ 자연수 x의 소인수 y
㉡ 자연수 x보다 2만큼 큰 수 y
㉢ 우리 반에서 친구가 x명인 학생 수 y명
㉣ 한 개에 1000원인 지우개 x개의 가격 y원
㉤ 반지름의 길이가 x cm인 원의 둘레의 길이는 y cm
└────────────────────┘

(1) y가 x의 함수인 것을 모두 고르시오.

(2) y가 x의 함수가 아닌 것을 모두 찾고, 그 이유를 설명하시오.

풀이

답 _____

3 아래 그림은 세 직선 $x+y=3$, $2x-y=0$, $x-y=1$ 의 그래프를 나타낸 것이다. 다음 연립방정식의 해를 구하시오.

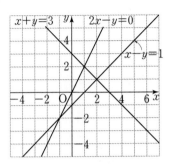

(1) $\begin{cases} x+y=3 \\ x-y=1 \end{cases}$

(2) $\begin{cases} x-y=1 \\ 2x-y=0 \end{cases}$

풀이

답 _____

4 아래 보기의 방정식의 그래프에 대하여 다음 물음에 답하시오.

┌ 보기 ┐
㉠ $y=-x+4$ ㉡ $y=2x+1$
㉢ $x+y=1$ ㉣ $y+2x=4$

(1) 서로 평행한 것끼리 짝을 지으시오.

(2) 일차방정식 ㉢의 그래프를 서로 다른 두 점을 이용하여 그리려고 한다. ①, ②에 알맞은 수를 구하고, 좌표평면 위에 그래프를 그리시오.

㉢의 그래프는 두 점 $(1, \boxed{①})$, $(\boxed{②}, 1)$을 지난다. 따라서 일차방정식 ㉢의 그래프는 다음 그림과 같다.

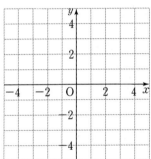

풀이

답 _____

1 아래 그림에서 ㈎, ㈏는 두 수 x, y에서 시작하여 화살표를 따라 계산하여 1과 -10을 얻는 과정을 각각 나타낸 것이다. ㈎에 해당하는 일차방정식이 $3x+2y=1$일 때, 다음 물음에 답하시오.

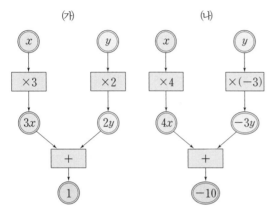

(1) ㈏에 해당하는 일차방정식을 구하시오.

(2) ㈎, ㈏에 해당하는 두 일차방정식을 모두 만족시키는 x, y의 값을 각각 구하시오.

2 다음 대화를 읽고 혜원이는 5점짜리 문제를 몇 개 맞혔는지 구하시오.

3 일차방정식 $4x-2y+5=0$의 그래프와 평행하고, 점 $(4, 1)$을 지나는 직선의 방정식이 $ax-y+b=0$일 때, ab의 값을 구하시오. (단, a, b는 상수)

4 두 일차함수 $y=\dfrac{3}{4}x+3$, $y=-\dfrac{1}{2}x+3$의 그래프와 x축으로 둘러싸인 삼각형에 대하여 물음에 답하시오.

(1) 주어진 두 일차함수의 그래프의 x절편을 이용하여 삼각형의 밑변의 길이를 구하시오.

(2) (1)에서 구한 밑변의 길이를 이용하여 삼각형의 넓이를 구하시오.

5 아래 그림은 네 명의 학생이 두 직선 ㉠, ㉡에 대하여 나눈 대화이다. 다음 물음에 답하시오.

(1) 직선 ㉠의 방정식을 구하시오.

(2) 직선 ㉡의 방정식을 구하시오.

(3) 두 직선 ㉠, ㉡이 만나는 점의 좌표를 구하시오.

1 다음 중 미지수가 2개인 일차방정식인 것은?

① $2x^2 + y = 3$

② $0.5x + 1 = 0.5$

③ $2(x+y) = 2x + y - 3$

④ $3x + y^2 = y^2 - 2y + 1$

⑤ $5(x - y + 1) = -5y - 3$

2 x, y가 자연수일 때, 일차방정식 $x + 3y = 9$의 해는 모두 몇 개인가?

① 1개   ② 2개   ③ 3개

④ 4개   ⑤ 5개

3 일차방정식 $2x - 3y + a = 0$의 한 해가 $(-1, -2)$일 때, 상수 a의 값은?

① -8 ② -4 ③ 1

④ 4 ⑤ 8

4 연립방정식 $\begin{cases} 3x + 2y = 1 & \cdots\cdots \text{㉠} \\ 4x - 3y = 7 & \cdots\cdots \text{㉡} \end{cases}$ 에서 y를 없애기 위해 필요한 식은?

① ㉠×2 + ㉡×4   ② ㉠×3 + ㉡×2

③ ㉠×3 − ㉡×2   ④ ㉠×4 + ㉡×3

⑤ ㉠×4 − ㉡×3

5 연립방정식 $\begin{cases} y = 2x \\ ax + y = 5 \end{cases}$ 의 해가 $y = x + 1$을 만족시킬 때, 상수 a의 값은?

① 1 ② 2 ③ 3

④ 4 ⑤ 5

6 두 연립방정식 $\begin{cases} 2x+y=-1 \\ ax+2y=4 \end{cases}$, $\begin{cases} 2x+3y=-1 \\ x+4y=b \end{cases}$의 해가 서로 같을 때, ab의 값은? (단, a, b는 상수)

① -4 ② -1 ③ 1
④ 4 ⑤ 6

7 현재 아버지와 딸의 나이의 합은 63세이고 6년 후에는 아버지의 나이가 딸의 나이의 3배보다 5세 적어진다고 한다. 현재 딸의 나이는?

① 13세 ② 14세 ③ 15세
④ 16세 ⑤ 17세

8 함수 $f(x)=\dfrac{a}{x}$에 대하여 $f(2)=1$일 때, $f(3)-f(-1)$의 값은? (단, a는 상수)

① $-\dfrac{5}{3}$ ② $-\dfrac{1}{3}$ ③ $\dfrac{1}{3}$
④ $\dfrac{5}{3}$ ⑤ $\dfrac{8}{3}$

9 다음 중 y가 x에 대한 일차함수인 것을 말한 학생을 고르시오.

희철: 하루 중 낮의 시간이 x시간일 때, 밤의 시간은 y시간이다.

정아: 시속 x km로 달리는 자전거가 y시간 동안 이동한 거리는 60 km이다.

은아: 가로의 길이가 x cm, 세로의 길이가 $(x+3)$ cm인 직사각형의 넓이는 y cm²이다.

우성: 우유 1 L를 x명이 똑같이 나누어 마실 때, 한 사람이 마시게 되는 우유의 양은 y L이다.

10 일차함수 $y=2x-1$의 그래프가 점 $(2, 5+a)$를 지날 때, a의 값은?

① -2 ② -1 ③ 0
④ 1 ⑤ 2

11 오른쪽 그림과 같은 일차함수의 그래프에서 x절편을 a, y절편을 b, 기울기를 c라 할 때, $a-b+c$의 값을 구하시오.

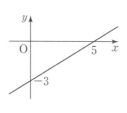

12 일차함수 $y=\dfrac{1}{2}x-\dfrac{1}{6}$의 그래프에서 x의 값의 증가량이 10일 때, y의 값의 증가량은?

① 1   ② 2   ③ 3

④ 4   ⑤ 5

13 다음 중 일차함수 $y=-\dfrac{2}{3}x+4$의 그래프에 대한 설명으로 옳은 것은?

① 점 $(-3, 2)$를 지난다.

② 제4사분면을 지나지 않는다.

③ x절편은 -6이고 y절편은 4이다.

④ 일차함수 $y=\dfrac{2}{3}x+1$의 그래프와 서로 평행하다.

⑤ x의 값이 6만큼 증가할 때, y의 값은 4만큼 감소한다.

14 다음은 두 점 $(-1, 8)$, $(2, 2)$를 지나는 직선을 그래프로 하는 일차함수의 식을 구하는 과정이다. 처음으로 틀린 부분을 찾으시오.

> x의 값이 -1에서 2까지 3만큼 증가할 때,
> y의 값은 8에서 2까지 -6만큼 증가하므로
>   ①
> $(\,$기울기$\,)=\dfrac{-6}{3}=-2$
>   ②
> 이때 구하는 일차함수의 식을 $y=-2x+b$라 하면 이 그래프가 점 $(-1, 8)$을 지나므로
> $\underline{-1=-2\times 8+b}$ $\therefore \underline{b=15}$
>   ③   ④
> 따라서 구하는 일차함수의 식은
> $\underline{y=-2x+15}$
>   ⑤

15 점 $(3, -5)$를 지나고 x축에 수직인 직선의 방정식은?

① $x=-5$ ② $x=3$ ③ $y=-5$

④ $y=3$ ⑤ $y=3x-1$

16 귀뚜라미가 25초 동안 울음소리를 낸 횟수와 섭씨 온도 사이에는 일차함수의 관계가 있다고 한다. 다음 그림을 보고 섭씨 온도가 30 ℃일 때, 귀뚜라미가 25초 동안 우는 횟수를 구하시오.

귀뚜라미가 25초 동안 48회 울면 20 ℃라는 걸 알 수 있어.

귀뚜라미가 25초 동안 33회 울면 15 ℃라는 걸 알 수 있어.

17 연립방정식 $\begin{cases} ax+6y=b \\ 4x-3y=8 \end{cases}$ 의 해가 무수히 많을 때, $a-b$의 값을 구하시오. (단, a, b는 상수)

서술형
18 연립방정식 $\begin{cases} 0.1x+0.2y=0.7 \\ \dfrac{2}{3}x+\dfrac{1}{2}y=3 \end{cases}$ 을 푸시오.

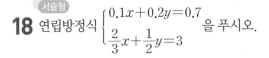

서술형
19 두 일차방정식
$ax-y=4$, $x+y=6$
의 그래프가 오른쪽 그림과 같을 때, 상수 a의 값을 구하시오.

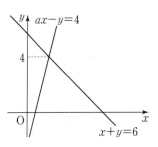

서술형
20 세 점 A$(-4, 1)$, B$(2, a)$, C$(4, 3)$이 한 직선 위에 있을 때, 다음 물음에 답하시오.

(1) 두 점 A, C를 지나는 직선의 기울기를 구하시오.

(2) 두 점 B, C를 지나는 직선의 기울기를 구하시오.

(3) (1), (2)를 이용하여 a의 값을 구하시오.

세 점이 한 직선 위에 있다는 것을 그래프로 나타내면 이렇게 그려져!

세 점 위의 어느 두 점으로 기울기를 구해도 모두 같은 값이 나오겠다!

1 일차방정식 $x+2y=5$의 한 해가 $(a, 1)$일 때, a의 값은?

① 1   ② 2   ③ 3

④ 4   ⑤ 5

2 연립방정식 $\begin{cases} 2x+y=7 \\ x-y=-1 \end{cases}$ 의 해를 $x=a$, $y=b$라 할 때, $a+b$의 값은?

① 1   ② 2   ③ 3

④ 4   ⑤ 5

3 연립방정식 $\begin{cases} 2x-y=4 \\ 3x+2y=13 \end{cases}$ 의 해가 일차방정식 $ax+y=8$을 만족시킬 때, 상수 a의 값은?

① 2   ② 3   ③ 4

④ 5   ⑤ 6

4 연립방정식 $\begin{cases} 4x+y=10 \\ ax-4y=5 \end{cases}$ 의 해가 $(b, -2)$일 때, $a-b$의 값은? (단, a는 상수)

① -5 ② -4 ③ -3

④ -2 ⑤ -1

5 다음 중 연립방정식 $\begin{cases} 0.1x+0.3y=2.1 \\ \dfrac{x}{3}+\dfrac{y}{4}=1 \end{cases}$ 과 같은 해를 갖는 것은?

① $\begin{cases} 2x+y=2 \\ x-y=9 \end{cases}$ ② $\begin{cases} y=x+11 \\ x+2y=6 \end{cases}$

③ $\begin{cases} x+y=5 \\ 3x+2y=7 \end{cases}$ ④ $\begin{cases} 2x-y=3 \\ 3x+y=7 \end{cases}$

⑤ $\begin{cases} 5x-3y=10 \\ 3x+2y=6 \end{cases}$

6 방정식 $\dfrac{x-3y}{6}=\dfrac{2x-y}{7}=1$의 해를 $x=a,\ y=b$라 할 때, $a-b$의 값은?

① -4　　② -2　　③ 0

④ 2　　⑤ 4

9 일차함수 $y=-2x$의 그래프를 y축의 방향으로 5만큼 평행이동하면 점 $(-1, a)$를 지날 때, a의 값은?

① -7　　② -3　　③ 3

④ 7　　⑤ 9

7 다음 중 y가 x의 함수가 <u>아닌</u> 것은?

① 자연수 x와 서로소인 수 y

② 올해 20세인 사람의 x년 후의 나이 y세

③ 한 개의 무게가 50 g인 달걀 x개의 무게 y g

④ 한 변의 길이가 x cm인 정사각형의 둘레의 길이 y cm

⑤ 한 병에 1500원인 음료수를 x병 살 때, 지불해야 하는 금액 y원

10 일차함수 $y=ax+3$의 그래프에서 x의 값이 -2에서 1까지 증가할 때, y의 값의 증가량은 4이다. 이때 상수 a의 값은?

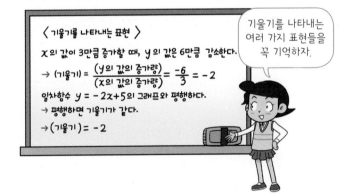

① $-\dfrac{4}{3}$　　② $-\dfrac{3}{4}$　　③ $\dfrac{3}{4}$

④ $\dfrac{4}{3}$　　⑤ 4

8 일차함수 $f(x)=-ax+2$에 대하여 $f(-1)=6$일 때, 상수 a의 값은?

① -4　　② -2　　③ 0

④ 2　　⑤ 4

11 다음 일차함수 중 그 그래프
가 오른쪽 그림의 직선과 평
행한 것은?

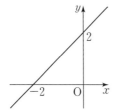

① $y=-2x+1$

② $y=-x-1$

③ $y=x+1$

④ $y=2x-2$

⑤ $y=3x+2$

12 다음 일차함수 중 그 그래프가 x의 값이 증가할 때 y
의 값도 증가하고 제4사분면을 지나는 것은?

① $y=-4x+3$　　　② $y=-\dfrac{1}{2}x-3$

③ $y=\dfrac{2}{3}x-2$　　　④ $y=2x+3$

⑤ $y=3x$

13 일차함수 $y=ax+b$의 그래
프가 오른쪽 그림과 같을 때,
일차함수 $y=abx+a$의 그래
프가 지나지 <u>않는</u> 사분면은?

(단, a, b는 상수)

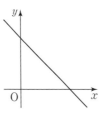

① 제1사분면　　　② 제2사분면

③ 제3사분면　　　④ 제4사분면

⑤ 제1, 3사분면

14 연립방정식 $\begin{cases} 3x-y=5 \\ 4x+ay=5 \end{cases}$ 의 각 일차방정식의 그래프
의 교점의 y좌표가 1일 때, 상수 a의 값은?

① -5　　　② -4　　　③ -3

④ -2　　　⑤ -1

15 다음 중 일차방정식 $2x-y-4=0$의 그래프에 대하
여 바르게 설명한 학생을 모두 고른 것은?

민혁　원점을 지난다.

수영　오른쪽 위로 향하는 직선이다.

준혁　y축과 양의 부분에서 만난다.

영미　일차함수 $y=\dfrac{1}{2}x-4$의 그래프보다 y축에 더 가깝다.

① 민혁, 수영　　　② 민혁, 준혁

③ 수영, 영미　　　④ 민혁, 준혁, 영미

⑤ 수영, 준혁, 영미

16 다음 중 방정식 $-2x=8$의 그래프에 대한 설명으로 옳은 것을 모두 고르면? (정답 2개)

① 점 $(-4, 3)$을 지난다.
② 점 $(0, -4)$를 지난다.
③ y축에 수직인 직선이다.
④ 직선 $x=-4$와 일치한다.
⑤ 제1, 3사분면을 지나지 않는다.

17 온도가 $15\,^\circ\text{C}$인 물을 끓이는데 열을 가한 후 2분마다 $5\,^\circ\text{C}$의 비율로 온도가 높아진다. 열을 가한 지 x분 후의 물의 온도를 $y\,^\circ\text{C}$라 할 때, 열을 가한 지 10분 후의 물의 온도는?

① $38\,^\circ\text{C}$ ② $39\,^\circ\text{C}$ ③ $40\,^\circ\text{C}$
④ $41\,^\circ\text{C}$ ⑤ $42\,^\circ\text{C}$

서술형
18 다음 두 연립방정식의 해가 서로 같을 때, $2ab$의 값을 구하시오. (단, a, b는 상수)

$$\begin{cases} ax+y=3 \\ x+2y=2 \end{cases}, \quad \begin{cases} 0.3x+0.5y=\dfrac{2}{5} \\ \dfrac{3}{2}x+\dfrac{5}{2}y=b \end{cases}$$

서술형
19 지윤이는 엄마와 사랑의 길 걷기 행사에 참가하였다. 다음 대화를 읽고 지윤이와 엄마가 시속 5 km로 걸은 거리를 구하시오.

서술형
20 일차방정식 $5x+4y-20=0$의 그래프와 x축, y축으로 둘러싸인 삼각형의 넓이를 구하시오.

memo

기말 대비

정답과 풀이

1일 연립방정식의 뜻과 풀이(1)

시험지 속 개념 문제 | 9쪽, 11쪽

1 ②　　　　　**2** 표는 풀이 참조, $(1, 7), (3, 4), (5, 1)$
3 ①　　　　**4** ④　　　　**5** ②　　　　**6** ④
7 ②　　　　**8** ②
9 (1) $x=1, y=2$　(2) $x=-1, y=3$
　　(3) $x=2, y=1$　(4) $x=4, y=-2$

1 ① 미지수가 2개인 일차식이다.
　② $4x-y=1$에서 $4x-y-1=0$이므로 미지수가 2개인 일차방정식이다.
　③ $x-5=2x-y^2$에서 $-x+y^2-5=0$이므로 미지수가 2개인 일차방정식이 아니다.
　④ $-x+1=x^2+y$에서 $-x^2-x-y+1=0$이므로 미지수가 2개인 일차방정식이 아니다.
　⑤ $2x-3y=-3y+1$에서 $2x-1=0$이므로 미지수가 1개인 일차방정식이다.
　따라서 미지수가 2개인 일차방정식은 ②이다.

2

x	1	2	3	4	5	…
y	7	$\dfrac{11}{2}$	4	$\dfrac{5}{2}$	1	…

3 ① $x=-1, y=3$을 $-x+y=4$에 대입하면
　　$-(-1)+3=4$
　　따라서 일차방정식 $-x+y=4$는 $x=-1, y=3$을 해로 갖는다.

5 ② $x=1, y=2$를 $\begin{cases} x+2y=5 \\ 5x-y=3 \end{cases}$의 각 일차방정식에 대입하면 $\begin{cases} 1+2\times 2=5 \\ 5\times 1-2=3 \end{cases}$

따라서 연립방정식 $\begin{cases} x+2y=5 \\ 5x-y=3 \end{cases}$의 해는 $x=1, y=2$이다.

6 ① y　② $2(x-3)$ 또는 $2x-6$　③ 12　⑤ 1

7 다혜 : ⓛ을 $y=2x-1$로 바꾼 후 ㉠에 대입해서 풀 수도 있다.
　세민 : ⓛ의 양변에 3을 곱한 식과 ㉠을 변끼리 더하여 정리하면 x의 값을 구할 수 있다.
　따라서 바르게 설명한 학생은 현수, 찬영이다.

9 (1) $\begin{cases} y=3x-1 & \cdots\cdots ㉠ \\ 4x-3y=-2 & \cdots\cdots ⓛ \end{cases}$
　　㉠을 ⓛ에 대입하면
　　$4x-3(3x-1)=-2$
　　$4x-9x+3=-2, -5x=-5$　∴ $x=1$
　　$x=1$을 ㉠에 대입하면 $y=3-1=2$

　(2) $\begin{cases} x+2y=5 & \cdots\cdots ㉠ \\ 3x-y=-6 & \cdots\cdots ⓛ \end{cases}$
　　㉠$+$ⓛ$\times 2$를 하면
　　$7x=-7$　∴ $x=-1$
　　$x=-1$을 ㉠에 대입하면
　　$-1+2y=5, 2y=6$　∴ $y=3$

　(3) $\begin{cases} x+5y=7 & \cdots\cdots ㉠ \\ 3x+4y=10 & \cdots\cdots ⓛ \end{cases}$
　　㉠$\times 3-$ⓛ을 하면
　　$11y=11$　∴ $y=1$
　　$y=1$을 ㉠에 대입하면 $x+5=7$　∴ $x=2$

　(4) $\begin{cases} 2x-3y=14 & \cdots\cdots ㉠ \\ 5x+4y=12 & \cdots\cdots ⓛ \end{cases}$
　　㉠$\times 5-$ⓛ$\times 2$를 하면
　　$-23y=46$　∴ $y=-2$
　　$y=-2$를 ㉠에 대입하면
　　$2x+6=14, 2x=8$　∴ $x=4$

교과서 기출 베스트 ①회 | 12쪽~13쪽

1 ③	**2** ②	**3** ⑤	**4** ③
5 ④	**6** ⑤	**7** ④	**8** -5

1 ㉡ $x^2-y=2$에서 $x^2-y-2=0$이므로 미지수가 2개인
일차방정식이 아니다.
㉢ $5x+4y=5x+2$에서 $4y-2=0$이므로 미지수가 1개
인 일차방정식이다.
따라서 미지수가 2개인 일차방정식은 ㉠, ㉣이다.

2 $x=1, 2, 3, \cdots$일 때, 일차방정식 $2x+3y=15$를 만족시
키는 y의 값을 구해 보면 다음 표와 같다.

x	1	2	3	4	5	6	$\cdots$
y	$\dfrac{13}{3}$	$\dfrac{11}{3}$	3	$\dfrac{7}{3}$	$\dfrac{5}{3}$	1	$\cdots$

따라서 x, y가 자연수일 때, 일차방정식 $2x+3y=15$의
해의 순서쌍 (x, y)는 $(3, 3)$, $(6, 1)$의 2개이다.

3 ⑤ $x=-1, y=2$를 $\begin{cases} 2x+3y=4 \\ 3x+4y=5 \end{cases}$의 각 일차방정식에 대

입하면 $\begin{cases} 2\times(-1)+3\times2=4 \\ 3\times(-1)+4\times2=5 \end{cases}$

따라서 연립방정식 $\begin{cases} 2x+3y=4 \\ 3x+4y=5 \end{cases}$의 해는 $x=-1$,

$y=2$이다.

4 ㉡을 ㉠에 대입하면 $3x-(x+9)=15$
$3x-x-9=15$, $2x=24$
$\therefore a=24$

6 $\begin{cases} 2x+ay=1 & \cdots\cdots ㉠ \\ bx+3y=-5 & \cdots\cdots ㉡ \end{cases}$

$x=2, y=-3$을 ㉠에 대입하면
$4-3a=1$, $-3a=-3$ $\therefore a=1$

$x=2, y=-3$을 ㉡에 대입하면
$2b-9=-5$, $2b=4$ $\therefore b=2$

7 $\begin{cases} 3x-y=a & \cdots\cdots ㉠ \\ 2x+3y=-10 & \cdots\cdots ㉡ \end{cases}$

x의 값이 y의 값보다 5만큼 크므로
$x=y+5$ $\cdots\cdots ㉢$
㉢을 ㉡에 대입하면
$2(y+5)+3y=-10$, $2y+10+3y=-10$
$5y=-20$ $\therefore y=-4$
$y=-4$를 ㉢에 대입하면
$x=-4+5=1$
$x=1, y=-4$를 ㉠에 대입하면
$a=3\times1-(-4)=7$

8 연립방정식 $\begin{cases} y=2x-3 \\ 4x-y=7 \end{cases}$을 풀면 $x=2, y=1$

$x=2, y=1$을 $x+ay=-2$에 대입하면
$2+a=-2$ $\therefore a=-4$
$x=2, y=1$을 $bx+y=3$에 대입하면
$2b+1=3$, $2b=2$ $\therefore b=1$
$\therefore a-b=-4-1=-5$

교과서 기출 베스트 ②회 | 14쪽~15쪽

1 ⑤	**2** (1) 2 (2) -5		**3** ④
4 ④	**5** ①, ④	**6** ①	**7** ②
8 ③			

1 ①, ③ 미지수가 2개인 일차식이다.
② $x-6=-8$에서 $x+2=0$이므로 미지수가 1개인 일
차방정식이다.
④ $3x+y+7=1+y+2x$에서 $x+6=0$이므로 미지수
가 1개인 일차방정식이다.

⑤ $x(x+1)=x^2-2y+1$에서 $x+2y-1=0$이므로 미지수가 2개인 일차방정식이다.

따라서 미지수가 2개인 일차방정식은 ⑤이다.

$x=-1$, $y=2$를 ㉠에 대입하면

$-3+2a=1$, $2a=4$ $\therefore a=2$

$x=-1$, $y=2$를 ㉡에 대입하면

$-b-4=3$, $-b=7$ $\therefore b=-7$

$\therefore a+b=2+(-7)=-5$

2 (1) $x=1, 2, 3, \cdots$일 때, 일차방정식 $5x+2y=24$를 만족시키는 y의 값을 구해 보면 다음 표와 같다.

x	1	2	3	4	⋯
y	$\frac{19}{2}$	7	$\frac{9}{2}$	2	⋯

따라서 x, y가 자연수일 때, 일차방정식 $5x+2y=24$를 만족시키는 순서쌍 (x, y)는 $(2, 7)$, $(4, 2)$의 2개이다.

(2) $x=2$, $y=a$를 $4x+y=3$에 대입하면

$8+a=3$ $\therefore a=-5$

7 $\begin{cases} ax+y=15 & \cdots\cdots ㉠ \\ -x+y=6 & \cdots\cdots ㉡ \end{cases}$

x의 값이 y의 값의 3배이므로 $x=3y$ $\cdots\cdots ㉢$

㉢을 ㉡에 대입하면

$-3y+y=6$, $-2y=6$ $\therefore y=-3$

$y=-3$을 ㉢에 대입하면

$x=3\times(-3)=-9$

$x=-9$, $y=-3$을 ㉠에 대입하면

$-9a-3=15$, $-9a=18$ $\therefore a=-2$

3 ④ $x=3$, $y=1$을 $\begin{cases} x-5y=-2 \\ 3x-2y=7 \end{cases}$의 각 일차방정식에 대입하면 $\begin{cases} 3-5\times1=-2 \\ 3\times3-2\times1=7 \end{cases}$

따라서 연립방정식 $\begin{cases} x-5y=-2 \\ 3x-2y=7 \end{cases}$은 $x=3$, $y=1$을 해로 갖는다.

8 연립방정식 $\begin{cases} 2x+y=-3 \\ 3x+y=-9 \end{cases}$를 풀면 $x=-6$, $y=9$

$x=-6$, $y=9$를 $ax-2y=6$에 대입하면

$-6a-18=6$, $-6a=24$ $\therefore a=-4$

$x=-6$, $y=9$를 $-x+2by=-12$에 대입하면

$6+18b=-12$, $18b=-18$ $\therefore b=-1$

$\therefore a-b=-4-(-1)=-3$

4 ④ 1

5 x를 없애기 위해 필요한 식은 ㉠×2−㉡

y를 없애기 위해 필요한 식은 ㉠+㉡

6 $\begin{cases} 3x+ay=1 & \cdots\cdots ㉠ \\ bx-2y=3 & \cdots\cdots ㉡ \end{cases}$

2일 연립방정식 풀이(2)와 활용

시험지 속 **개념 문제** | 19쪽, 21쪽

1 (1) $x=-2, y=2$ (2) $x=-3, y=-4$
(3) $x=-8, y=-2$ (4) $x=-1, y=3$

2 ③, $x=0, y=5$ **3** $x=10, y=5$

4 (1) 2 (2) $x=6, y=2$ **5** $x=3, y=-1$

6 (1) $\begin{cases} 2x+3y=3000 \\ 8x+5y=9200 \end{cases}$ (2) $x=900, y=400$

7 토끼 : 13마리, 오리 : 22마리

8 (1) $\begin{cases} x+y=7 \\ 10y+x=10x+y+27 \end{cases}$ (2) $x=2, y=5$ (3) 25

9 (1) $5 \,/\, \dfrac{y}{4}, \, 1$ (2) $\begin{cases} x+y=5 \\ \dfrac{x}{8}+\dfrac{y}{4}=1 \end{cases}$

(3) 뛰어간 거리 : 2 km, 걸어간 거리 : 3 km

---

1 (1) $\begin{cases} 2(x+1)+3y=4 \\ 4x+5y=2 \end{cases} \Rightarrow \begin{cases} 2x+3y=2 & \cdots\cdots ㉠ \\ 4x+5y=2 & \cdots\cdots ㉡ \end{cases}$

㉠×2−㉡을 하면 $y=2$

$y=2$를 ㉠에 대입하면

$2x+6=2, \, 2x=-4 \quad \therefore x=-2$

(2) $\begin{cases} 3x-2(y+1)=-3 \\ 4(-x+y)+3x=-13 \end{cases}$

$\Rightarrow \begin{cases} 3x-2y=-1 & \cdots\cdots ㉠ \\ -x+4y=-13 & \cdots\cdots ㉡ \end{cases}$

㉠+㉡×3을 하면

$10y=-40 \quad \therefore y=-4$

$y=-4$를 ㉠에 대입하면

$3x+8=-1, \, 3x=-9 \quad \therefore x=-3$

(3) $\begin{cases} 0.2x-0.3y=-1 & \cdots\cdots ㉠ \\ 0.4x-5y=6.8 & \cdots\cdots ㉡ \end{cases}$

㉠×10, ㉡×10을 하면

$\begin{cases} 2x-3y=-10 & \cdots\cdots ㉢ \\ 4x-50y=68 & \cdots\cdots ㉣ \end{cases}$

㉢×2−㉣을 하면

$44y=-88 \quad \therefore y=-2$

$y=-2$를 ㉢에 대입하면

$2x+6=-10, \, 2x=-16 \quad \therefore x=-8$

(4) $\begin{cases} 5x+y=-2 & \cdots\cdots ㉠ \\ \dfrac{x}{3}-\dfrac{y}{2}=-\dfrac{11}{6} & \cdots\cdots ㉡ \end{cases}$

㉡×6을 하면

$2x-3y=-11 \quad \cdots\cdots ㉢$

㉠×3+㉢을 하면

$17x=-17 \quad \therefore x=-1$

$x=-1$을 ㉠에 대입하면

$-5+y=-2 \quad \therefore y=3$

2 연립방정식 $\begin{cases} \dfrac{1}{5}x+\dfrac{1}{10}y=\dfrac{1}{2} & \cdots\cdots ㉠ \\ 0.3x+0.2y=1 & \cdots\cdots ㉡ \end{cases}$ 에서

㉠×10, ㉡×10을 하면

$\begin{cases} 2x+y=5 & \cdots\cdots ㉢ \\ 3x+2y=10 & \cdots\cdots ㉣ \end{cases}$

㉢×2−㉣을 하면 $x=0$

$x=0$을 ㉢에 대입하면 $y=5$

따라서 처음으로 틀린 부분은 ③이고, 주어진 연립방정식을 바르게 풀면 $x=0, y=5$이다.

3 $\begin{cases} 0.7x-2y=-3 & \cdots\cdots ㉠ \\ \dfrac{1}{5}x-2y=-8 & \cdots\cdots ㉡ \end{cases}$

㉠×10, ㉡×5를 하면

$\begin{cases} 7x-20y=-30 & \cdots\cdots ㉢ \\ x-10y=-40 & \cdots\cdots ㉣ \end{cases}$

㉢−㉣×2를 하면

$5x=50 \quad \therefore x=10$

$x=10$을 ㉢에 대입하면 $70-20y=-30$

$-20y=-100 \quad \therefore y=5$

4 (2) $\begin{cases} \dfrac{x+2y}{5}=2 & \cdots\cdots ㉠ \\ \dfrac{x+y}{4}=2 & \cdots\cdots ㉡ \end{cases}$

㉠×5, ㉡×4를 하면

$\begin{cases} x+2y=10 & \cdots\cdots ㉢ \\ x+y=8 & \cdots\cdots ㉣ \end{cases}$

ⓒ－ⓔ을 하면 $y=2$

$y=2$를 ⓒ에 대입하면

$x+4=10$ ∴ $x=6$

5 주어진 방정식을 연립방정식 $\begin{cases} x-y-1=y+4 \\ y+4=2x+4y+1 \end{cases}$로 바

꾸면

$\begin{cases} x-2y=5 & \cdots\cdots ⓐ \\ 2x+3y=3 & \cdots\cdots ⓑ \end{cases}$

ⓐ×2－ⓑ을 하면

$-7y=7$ ∴ $y=-1$

$y=-1$을 ⓐ에 대입하면

$x+2=5$ ∴ $x=3$

6 (2) $\begin{cases} 2x+3y=3000 & \cdots\cdots ⓐ \\ 8x+5y=9200 & \cdots\cdots ⓑ \end{cases}$에서

ⓐ×4－ⓑ을 하면

$7y=2800$ ∴ $y=400$

$y=400$을 ⓐ에 대입하면

$2x+1200=3000, 2x=1800$

∴ $x=900$

7 토끼는 x마리, 오리는 y마리가 있다고 하면

$\begin{cases} x+y=35 & \cdots\cdots ⓐ \\ 4x+2y=96 & \cdots\cdots ⓑ \end{cases}$

ⓐ×2－ⓑ을 하면

$-2x=-26$ ∴ $x=13$

$x=13$을 ⓐ에 대입하면

$13+y=35$ ∴ $y=22$

따라서 토끼는 13마리, 오리는 22마리가 있다.

8 (2) $\begin{cases} x+y=7 \\ 10y+x=10x+y+27 \end{cases} \rightarrow \begin{cases} x+y=7 & \cdots\cdots ⓐ \\ x-y=-3 & \cdots\cdots ⓑ \end{cases}$

ⓐ＋ⓑ을 하면

$2x=4$ ∴ $x=2$

$x=2$를 ⓐ에 대입하면

$2+y=7$ ∴ $y=5$

9 (3) $\begin{cases} x+y=5 \\ \dfrac{x}{8}+\dfrac{y}{4}=1 \end{cases} \rightarrow \begin{cases} x+y=5 & \cdots\cdots ⓐ \\ x+2y=8 & \cdots\cdots ⓑ \end{cases}$

ⓐ－ⓑ을 하면

$-y=-3$ ∴ $y=3$

$y=3$을 ⓐ에 대입하면

$x+3=5$ ∴ $x=2$

따라서 뛰어간 거리는 2 km, 걸어간 거리는 3 km

이다.

교과서 기출 베스트 ①회 | 22쪽~23쪽

| **1** ⑤ | **2** ⑤ | **3** ① | **4** ④ |
| **5** -5 | **6** ⑤ | **7** 94 | **8** 2 km |

1 $\begin{cases} 3(x-2y)=5(2-y) \\ 2x-4(y+3)=1-x \end{cases} \rightarrow \begin{cases} 3x-y=10 & \cdots\cdots ⓐ \\ 3x-4y=13 & \cdots\cdots ⓑ \end{cases}$

ⓐ－ⓑ을 하면

$3y=-3$ ∴ $y=-1$

$y=-1$을 ⓐ에 대입하면

$3x+1=10, 3x=9$ ∴ $x=3$

따라서 $a=3, b=-1$이므로

$a+b=3+(-1)=2$

2 $\begin{cases} 0.1x-0.2y=0.3 & \cdots\cdots ⓐ \\ -0.2x+0.3y=-1 & \cdots\cdots ⓑ \end{cases}$

ⓐ×10, ⓑ×10을 하면

$\begin{cases} x-2y=3 & \cdots\cdots ⓒ \\ -2x+3y=-10 & \cdots\cdots ⓔ \end{cases}$

ⓒ×2＋ⓔ을 하면

$-y=-4$ ∴ $y=4$

$y=4$를 ⓒ에 대입하면

$x-8=3$ ∴ $x=11$

3
$$\begin{cases} \dfrac{x}{4}+\dfrac{y}{2}=-2 & \cdots\cdots\ \textcircled{\scriptsize ㄱ} \\ -x+3=-2y+3 & \cdots\cdots\ \textcircled{\scriptsize ㄴ} \end{cases}$$

㉠×4를 하고 ㉡을 정리하면
$$\begin{cases} x+2y=-8 & \cdots\cdots\ \textcircled{\scriptsize ㄷ} \\ -x+2y=0 & \cdots\cdots\ \textcircled{\scriptsize ㄹ} \end{cases}$$

㉢+㉣을 하면

$4y=-8$ ∴ $y=-2$

$y=-2$를 ㉢에 대입하면

$x-4=-8$ ∴ $x=-4$

4
$$\begin{cases} \dfrac{1}{5}x-\dfrac{3}{10}y=\dfrac{3}{5} & \cdots\cdots\ \textcircled{\scriptsize ㄱ} \\ 0.3x-0.7y=\dfrac{2}{5} & \cdots\cdots\ \textcircled{\scriptsize ㄴ} \end{cases}$$

㉠×10, ㉡×10을 하면 $\begin{cases} 2x-3y=6 & \cdots\cdots\ \textcircled{\scriptsize ㄷ} \\ 3x-7y=4 & \cdots\cdots\ \textcircled{\scriptsize ㄹ} \end{cases}$

㉢×3-㉣×2를 하면

$5y=10$ ∴ $y=2$

$y=2$를 ㉢에 대입하면

$2x-6=6$, $2x=12$ ∴ $x=6$

따라서 $a=6$, $b=2$이므로

$a-b=6-2=4$

5 주어진 방정식을 연립방정식 $\begin{cases} 3x+4y=y+12 \\ 2x-y=y+12 \end{cases}$로 바꾸

고 정리하면
$$\begin{cases} x+y=4 & \cdots\cdots\ \textcircled{\scriptsize ㄱ} \\ x-y=6 & \cdots\cdots\ \textcircled{\scriptsize ㄴ} \end{cases}$$

㉠+㉡을 하면

$2x=10$ ∴ $x=5$

$x=5$를 ㉠에 대입하면

$5+y=4$ ∴ $y=-1$

따라서 $a=5$, $b=-1$이므로

$ab=5\times(-1)=-5$

6 현재 지민이의 나이를 x세, 삼촌의 나이를 y세라 하면
$$\begin{cases} x+y=50 \\ y+5=2(x+5) \end{cases} \rightarrow \begin{cases} x+y=50 & \cdots\cdots\ \textcircled{\scriptsize ㄱ} \\ 2x-y=-5 & \cdots\cdots\ \textcircled{\scriptsize ㄴ} \end{cases}$$

㉠+㉡을 하면

$3x=45$ ∴ $x=15$

$x=15$를 ㉠에 대입하면

$15+y=5$ ∴ $y=35$

따라서 현재 삼촌의 나이는 35세이다.

7 처음 수의 십의 자리의 숫자를 x, 일의 자리의 숫자를 y라 하면
$$\begin{cases} x+y=13 \\ 10y+x=10x+y-45 \end{cases} \rightarrow \begin{cases} x+y=13 & \cdots\cdots\ \textcircled{\scriptsize ㄱ} \\ x-y=5 & \cdots\cdots\ \textcircled{\scriptsize ㄴ} \end{cases}$$

㉠+㉡을 하면

$2x=18$ ∴ $x=9$

$x=9$를 ㉠에 대입하면

$9+y=13$ ∴ $y=4$

따라서 처음 수는 94이다.

8 세호가 올라간 거리를 x km, 내려온 거리를 y km라 하면
$$\begin{cases} x+y=6 \\ \dfrac{x}{3}+\dfrac{y}{4}=\dfrac{5}{3} \end{cases} \rightarrow \begin{cases} x+y=6 & \cdots\cdots\ \textcircled{\scriptsize ㄱ} \\ 4x+3y=20 & \cdots\cdots\ \textcircled{\scriptsize ㄴ} \end{cases}$$

㉠×3-㉡을 하면

$-x=-2$ ∴ $x=2$

$x=2$를 ㉠에 대입하면

$2+y=6$ ∴ $y=4$

따라서 세호가 올라간 거리는 2 km이다.

교과서 기출 베스트 2회 | 24쪽~25쪽

| 1 ① | 2 ③ | 3 영주 | 4 ④ |
| 5 ④ | 6 16세 | 7 5 cm | 8 ③ |

1
$$\begin{cases} 3(x+a)-5(y+1)=3 & \cdots\cdots\ \textcircled{\scriptsize ㄱ} \\ -x+2y=-4 & \cdots\cdots\ \textcircled{\scriptsize ㄴ} \end{cases}$$

x의 값이 y의 값의 4배이므로 $x=4y$ $\cdots\cdots\ \textcircled{\scriptsize ㄷ}$

ⓒ을 ⓛ에 대입하면

$-4y+2y=-4$, $-2y=-4$ $\quad \therefore y=2$

$y=2$를 ⓒ에 대입하면

$x=4\times2=8$

ⓐ에서 $3x+3a-5y-5=3$

$\therefore 3x+3a-5y-8=0$

$x=8$, $y=2$를 위의 식에 대입하면

$24+3a-10-8=0$, $3a=-6$ $\quad \therefore a=-2$

2 $\begin{cases} 0.3x+0.4y=0.9 & \cdots\cdots ⓐ \\ 0.1x-0.4y=-1.3 & \cdots\cdots ⓛ \end{cases}$

ⓐ$\times10$, ⓛ$\times10$을 하면

$\begin{cases} 3x+4y=9 & \cdots\cdots ⓒ \\ x-4y=-13 & \cdots\cdots ⓔ \end{cases}$

ⓒ$+$ⓔ을 하면

$4x=-4$ $\quad \therefore x=-1$

$x=-1$을 ⓒ에 대입하면

$-3+4y=9$, $4y=12$ $\quad \therefore y=3$

3 영주 : ㈐에는 '$13y=26$'이 들어간다.

따라서 바르게 설명하지 않은 학생은 영주이다.

4 $\begin{cases} 0.5x-0.2y=0.3 & \cdots\cdots ⓐ \\ \dfrac{3}{2}(x-2)-y=\dfrac{1}{2} & \cdots\cdots ⓛ \end{cases}$

ⓐ$\times10$, ⓛ$\times2$를 하여 정리하면

$\begin{cases} 5x-2y=3 & \cdots\cdots ⓒ \\ 3x-2y=7 & \cdots\cdots ⓔ \end{cases}$

ⓒ$-$ⓔ을 하면

$2x=-4$ $\quad \therefore x=-2$

$x=-2$를 ⓒ에 대입하면

$-10-2y=3$, $-2y=13$ $\quad \therefore y=-\dfrac{13}{2}$

$x=-2$, $y=-\dfrac{13}{2}$을 $ax-2y+1=0$에 대입하면

$-2a+13+1=0$, $-2a=-14$ $\quad \therefore a=7$

5 주어진 방정식을 연립방정식 $\begin{cases} -2x+y-2=3x-y+3 \\ 3x-y+3=x-3y+1 \end{cases}$

로 바꾸고 정리하면

$\begin{cases} 5x-2y=-5 & \cdots\cdots ⓐ \\ 2x+2y=-2 & \cdots\cdots ⓛ \end{cases}$

ⓐ$+$ⓛ을 하면

$7x=-7$ $\quad \therefore x=-1$

$x=-1$을 ⓐ에 대입하면

$-5-2y=-5$, $-2y=0$ $\quad \therefore y=0$

따라서 $a=-1$, $b=0$이므로

$ab=-1\times0=0$

6 올해 언니의 나이를 x세, 동생의 나이를 y세라 하면

$\begin{cases} x-y=4 \\ (x-4)+(y-4)=20 \end{cases} \rightarrow \begin{cases} x-y=4 & \cdots\cdots ⓐ \\ x+y=28 & \cdots\cdots ⓛ \end{cases}$

ⓐ$+$ⓛ을 하면

$2x=32$ $\quad \therefore x=16$

$x=16$을 ⓐ에 대입하면

$16-y=4$ $\quad \therefore y=12$

따라서 올해 언니의 나이는 16세이다.

7 사다리꼴의 윗변의 길이를 x cm, 아랫변의 길이를 y cm라 하면

$\begin{cases} x=y-5 \\ \dfrac{1}{2}\times(x+y)\times6=45 \end{cases} \rightarrow \begin{cases} x=y-5 & \cdots\cdots ⓐ \\ x+y=15 & \cdots\cdots ⓛ \end{cases}$

ⓐ을 ⓛ에 대입하면

$(y-5)+y=15$, $2y-5=15$

$2y=20$ $\quad \therefore y=10$

$y=10$을 ⓐ에 대입하면

$x=10-5=5$

따라서 이 사다리꼴의 윗변의 길이는 5 cm이다.

8 지훈이가 올라간 거리를 x km, 내려온 거리를 y km라 하면

$$\begin{cases} y = x+1 \\ \dfrac{x}{2}+\dfrac{y}{3}=\dfrac{10}{3} \end{cases} \Rightarrow \begin{cases} y = x+1 & \cdots\cdots ㉠ \\ 3x+2y=20 & \cdots\cdots ㉡ \end{cases}$$

㉠을 ㉡에 대입하면

$3x+2(x+1)=20,\ 3x+2x+2=20$

$5x=18$ ∴ $x=\dfrac{18}{5}$

$x=\dfrac{18}{5}$을 ㉠에 대입하면

$y=\dfrac{18}{5}+1=\dfrac{23}{5}$

따라서 지훈이가 올라간 거리는 $\dfrac{18}{5}$ km이다.

4 ㉠ x가 분모에 있으므로 y는 x에 대한 일차함수가 아니다.

㉡ $y=x(x+9)$에서 $y=x^2+9x$이므로 y는 x에 대한 일차함수가 아니다.

㉢ x항이 없으므로 y는 x에 대한 일차함수가 아니다.

㉤ $y=x(x-1)-x^2$에서 $y=-x$이므로 y는 x에 대한 일차함수이다.

따라서 y가 x에 대한 일차함수인 것은 ㉣, ㉤, ㉥이다.

7 일차함수 $y=-\dfrac{2}{3}x+2$의 그래프는 오른쪽 그림과 같이 두 점 $(0, 2), (3, 0)$을 지나는 직선이다.

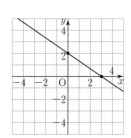

✦3일 일차함수의 뜻과 그래프

시험지 속 개념 문제 | 29쪽, 31쪽

1 (1) ㉠, ㉡, ㉣, ㉤
  (2) ㉢, 표는 풀이 참조, y, 정해지지 않으므로
2 5 **3** -13 **4** ㉣, ㉤, ㉥
5 (1) 시간, $y=\dfrac{100}{x}$, × (2) 반지름의 길이, $y=\pi x^2$, ×
  (3) $y=15+x$, ◯ (4) $y=100-x$, ◯
6 ① **7** 풀이 참조 **8** ②
9 2, -1, $y=-4x-7$

1 (2)

x	1	2	3	4	$\cdots$
y	$-1, 1$	$-2, 2$	$-3, 3$	$-4, 4$	$\cdots$

2 $f(4)=2\times4-3=5$

3 $f(3)=-4\times3-1=-13$

교과서 기출 베스트 1회 | 32쪽 ~33쪽

1 ㉢, ㉣, ㉤	**2** ②	**3** ⑤	**4** 4개
5 ④	**6** ②	**7** ③	**8** ⑤

1 ㉠ $x=2$일 때, $y=1, 2$이므로 x의 값이 하나 정해질 때 y의 값이 하나로 정해지지 않는다.
  즉 y는 x의 함수가 아니다.

㉡ $x=3$일 때, $y=1, 2$이므로 x의 값이 하나 정해질 때 y의 값이 하나로 정해지지 않는다.
  즉 y는 x의 함수가 아니다.

따라서 y가 x의 함수인 것은 ㉢, ㉣, ㉤이다.

2 $f(-1)=\dfrac{3}{-1}=-3,\ f(3)=\dfrac{3}{3}=1$

∴ $f(-1)+f(3)=-3+1=-2$

3 $f(-2)=-(-2)+a=7$이므로 $a=5$
따라서 $f(x)=-x+5$이므로 $f(3)=-3+5=2$

4 y가 x에 대한 일차함수인 것은 ㉠, ㉢, ㉣, ㉻의 4개이다.

5 $y=-2x+k$에 $x=-2$, $y=8$을 대입하면
$8=4+k$ ∴ $k=4$
따라서 $y=-2x+4$에 $x=a$, $y=2$를 대입하면
$2=-2a+4$, $2a=2$ ∴ $a=1$
∴ $k+a=4+1=5$

6 일차함수 $y=ax$의 그래프를 y축의 방향으로 b만큼 평행이동한 그래프를 나타내는 일차함수의 식은
$y=ax+b$
이 그래프가 $y=\dfrac{1}{4}x+1$의 그래프와 일치하므로
$a=\dfrac{1}{4}$, $b=1$
∴ $8a+b=8\times\dfrac{1}{4}+1=3$

7 일차함수 $y=-x+2$의 그래프를 y축의 방향으로 -5만큼 평행이동한 그래프를 나타내는 일차함수의 식은
$y=-x+2-5$ ∴ $y=-x-3$

8 일차함수 $y=6x-6$의 그래프를 y축의 방향으로 $3k$만큼 평행이동한 그래프를 나타내는 일차함수의 식은
$y=6x-6+3k$
이 그래프가 점 $(k, 12)$를 지나므로
$12=6k-6+3k$, $9k=18$ ∴ $k=2$

교과서 기출 베스트 ②회　　|　34쪽~35쪽

1 ④	**2** -1	**3** ②	**4** ④
5 ②	**6** $a=-2, b=2$	**7** ③	
8 -3			

1 ㉢ $x=5$일 때, $y=1$, 3이므로 x의 값이 하나 정해질 때 y의 값이 하나로 정해지지 않는다.
즉 y는 x의 함수가 아니다.
㉣ $x=1$일 때, y의 값을 정할 수 없으므로 y는 x의 함수가 아니다.
따라서 y가 x의 함수가 아닌 것은 ㉢, ㉣이다.

2 $f\left(-\dfrac{1}{2}\right)=-4\times\left(-\dfrac{1}{2}\right)=2$
$f(3)=-4\times3=-12$
∴ $f\left(-\dfrac{1}{2}\right)+\dfrac{1}{4}f(3)=2+\dfrac{1}{4}\times(-12)=-1$

3 $f(1)=1-a=3$이므로
$-a=2$ ∴ $a=-2$
따라서 $f(x)=x+2$이므로 $f(2)=2+2=4$
∴ $b=4$

4 ① $x=2$일 때, $y=2$, 4, 6, ⋯이므로 x의 값이 하나 정해질 때 y의 값이 하나로 정해지지 않는다.
즉 y는 x에 대한 일차함수가 아니다.
② $x=4$일 때, $y=2$, 3이므로 x의 값이 하나 정해질 때 y의 값이 하나로 정해지지 않는다.
즉 y는 x에 대한 일차함수가 아니다.
③ $y=x^2$
④ $y=4x$
⑤ $\dfrac{1}{2}\times x\times y=8$이므로 $y=\dfrac{16}{x}$
따라서 y가 x에 대한 일차함수인 것은 ④이다.

5 $y=\dfrac{1}{2}x+5$에 $x=m$, $y=3$을 대입하면
$3=\dfrac{1}{2}m+5$, $\dfrac{1}{2}m=-2$ ∴ $m=-4$

$y=\dfrac{1}{2}x+5$에 $x=-4$, $y=n$을 대입하면

$n=-2+5=3$

$\therefore m+n=-4+3=-1$

6 일차함수 $y=ax$의 그래프를 y축의 방향으로 2만큼 평행이동한 그래프를 나타내는 일차함수의 식은

$y=ax+2$

이 그래프가 $y=-2x+b$의 그래프와 일치하므로

$a=-2$, $b=2$

7 일차함수 $y=2x+3$의 그래프를 y축의 방향으로 -7만큼 평행이동한 그래프를 나타내는 일차함수의 식은

$y=2x+3-7$ $\therefore y=2x-4$

8 일차함수 $y=-\dfrac{4}{3}x+1$의 그래프를 y축의 방향으로 a만큼 평행이동한 그래프를 나타내는 일차함수의 식은

$y=-\dfrac{4}{3}x+1+a$

이 그래프가 점 $(-3, 2)$를 지나므로

$2=4+1+a$ $\therefore a=-3$

4일 일차함수의 절편, 기울기, 그래프의 성질

시험지 속 개념 문제 | 39쪽, 41쪽

1 ㉠ x절편 : -2, y절편 : 2, 기울기 : 1

ㄴ x절편 : -3, y절편 : -2, 기울기 : $-\dfrac{2}{3}$

2 (1) x절편 : 2, y절편 : 2, 기울기 : -1

(2) x절편 : $\dfrac{3}{2}$, y절편 : -3, 기울기 : 2

(3) x절편 : 3, y절편 : 5, 기울기 : $-\dfrac{5}{3}$

3 8　　　**4** ④　　　**5** 풀이 참조

6 (1) ①, ②, ③　(2) ④, ⑤　(3) ③, ④　(4) ①, ⑤　(5) ②

7 (1) 기울기 : $-\dfrac{2}{3}$, y절편 : 1　(2) 풀이 참조

(3) ① 아래 ② 3

8 (1) 기울기 : $\dfrac{1}{2}$, y절편 : 2　(2) 풀이 참조

(3) ① 위 ② 4

9 (1) ㉠과 ㉤, ㉡과 ㉢　(2) ㉣과 ㉥

2 (1) $y=-x+2$에 $y=0$을 대입하면

$0=-x+2$ $\therefore x=2$

$y=-x+2$에 $x=0$을 대입하면 $y=2$

따라서 x절편은 2, y절편은 2, 기울기는 -1이다.

(2) $y=2x-3$에 $y=0$을 대입하면

$0=2x-3$, $2x=3$ $\therefore x=\dfrac{3}{2}$

$y=2x-3$에 $x=0$을 대입하면 $y=-3$

따라서 x절편은 $\dfrac{3}{2}$, y절편은 -3, 기울기는 2이다.

(3) $y=-\dfrac{5}{3}x+5$에 $y=0$을 대입하면

$0=-\dfrac{5}{3}x+5$, $\dfrac{5}{3}x=5$ $\therefore x=3$

$y=-\dfrac{5}{3}x+5$에 $x=0$을 대입하면 $y=5$

따라서 x절편은 3, y절편은 5, 기울기는 $-\dfrac{5}{3}$이다.

3 일차함수 $y=4x-1$의 그래프의 기울기는 4이므로

$$\frac{(y의\ 값의\ 증가량)}{2}=4 \qquad \therefore (y의\ 값의\ 증가량)=8$$

4 $y=-\dfrac{3}{2}x+3$에 $y=0$을 대입하면

$$0=-\frac{3}{2}x+3,\ \frac{3}{2}x=3 \qquad \therefore x=2$$

$y=-\dfrac{3}{2}x+3$에 $x=0$을 대입하면 $y=3$

따라서 x절편은 2, y절편은 3이므로 일차함수

$y=-\dfrac{3}{2}x+3$의 그래프는 ④이다.

5

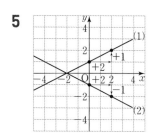

6 (1) $a>0$일 때, 그래프는 오른쪽 위로 향하는 직선이므로
①, ②, ③이다.

(2) $a<0$일 때, 그래프는 오른쪽 아래로 향하는 직선이므로 ④, ⑤이다.

(3) $b>0$일 때, 그래프가 y축과 양의 부분에서 만나므로 ③, ④이다.

(4) $b<0$일 때, 그래프가 y축과 음의 부분에서 만나므로 ①, ⑤이다.

(5) $b=0$일 때, 그래프가 원점을 지나므로 ②이다.

7 (2)

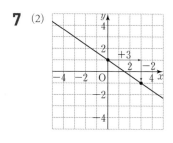

8 (2)

(그래프 이미지)

9 ㉢ $y=2(3x-2)$에서 $y=6x-4$

㉣ $y=-2(2x-3)$에서 $y=-4x+6$

(1) 두 일차함수의 그래프가 서로 평행하려면 기울기는
같고, y절편은 달라야 하므로 ㉠과 ㉢, ㉡과 ㉤

(2) 두 일차함수의 그래프가 서로 일치하려면 기울기와
y절편이 각각 같아야 하므로 ㉣과 ㉥

교과서 기출 베스트 ①회 | 42쪽~43쪽

1 ①	**2** ㉠ 6 ㉡ -4	**3** 4
4 ③	**5** ① **6** ③	**7** ④
8 ④		

1 $y=-3x+3$에 $y=0$을 대입하면

$$0=-3x+3,\ 3x=3 \qquad \therefore x=1$$

$$\therefore a=1$$

$y=-3x+3$에 $x=0$을 대입하면 $y=3$

$$\therefore b=3$$

또 기울기는 -3이므로 $c=-3$

$$\therefore a+b+c=1+3+(-3)=1$$

2 $y=\dfrac{3}{2}x+\boxed{㉠}$의 그래프의 y절편이 6이므로 ㉠에 알맞은
수는 6이다.

$y=\dfrac{3}{2}x+6$에 $y=0$을 대입하면

$$0=\frac{3}{2}x+6,\ \frac{3}{2}x=-6 \qquad \therefore x=-4$$

따라서 ㉡에 알맞은 수는 -4이다.

3 $y=2x+4$에 $y=0$을 대입하면

$0=2x+4, 2x=-4$

$\therefore x=-2$ $\therefore \mathrm{P}(-2, 0)$

$y=2x+4$에 $x=0$을 대입하면

$y=4$ $\therefore \mathrm{Q}(0, 4)$

따라서 오른쪽 그림에서

$\triangle \mathrm{POQ}=\dfrac{1}{2}\times 2\times 4=4$

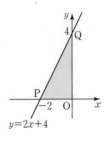

4 x의 값이 2만큼 증가할 때, y의 값은 6만큼 감소하므로

$(\text{기울기})=\dfrac{-6}{2}=-3$

따라서 기울기가 -3인 것은 ③이다.

5 세 점 $\mathrm{A}(-1, 2)$, $\mathrm{B}(2, -1)$, $\mathrm{C}(5, a)$가 한 직선 위에 있으므로 두 점 A, B를 지나는 직선과 두 점 B, C를 지나는 직선의 기울기가 같다.

즉 $\dfrac{-1-2}{2-(-1)}=\dfrac{a-(-1)}{5-2}$이므로

$-1=\dfrac{a+1}{3}, a+1=-3$ $\therefore a=-4$

6 일차함수의 그래프가 제2사분면을 지나지 않으려면 기울기는 양수이고, y절편은 음수이어야 한다.

따라서 제2사분면을 지나지 않는 것은 ③이다.

7 그래프가 오른쪽 아래로 향하는 직선이므로 $a<0$

또, 그래프가 y축과 양의 부분에서 만나므로 $b>0$

8 두 일차함수의 그래프가 서로 평행하려면 기울기가 같아야 하므로

$\dfrac{a}{4}=3$ $\therefore a=12$

교과서 기출 베스트 ②회 | 44쪽~45쪽 |

1 ⊙ -4 ⓛ 8 ⓒ 2 **2** 4

3 (1) $\mathrm{P}(6, 0)$, $\mathrm{Q}(0, -3)$ (2) 풀이 참조 (3) 9 **4** ④

5 ⑤   **6** 세정, 호정   **7** ③   **8** ③

1 $y=2x+8$에 $y=0$을 대입하면

$0=2x+8, 2x=-8$ $\therefore x=-4$

$y=2x+8$에 $x=0$을 대입하면 $y=8$

또, 기울기는 2이므로 ⊙ -4 ⓛ 8 ⓒ 2이다.

2 $y=-\dfrac{3}{4}x+b$의 그래프의 y절편이 3이므로 $b=3$

$y=-\dfrac{3}{4}x+3$에 $y=0$을 대입하면

$0=-\dfrac{3}{4}x+3, \dfrac{3}{4}x=3$ $\therefore x=4$

따라서 구하는 x절편은 4이다.

3 (1) $y=\dfrac{1}{2}x-3$에 $y=0$을 대입하면

$0=\dfrac{1}{2}x-3, \dfrac{1}{2}x=3$ $\therefore x=6$

$\therefore \mathrm{P}(6, 0)$

$y=\dfrac{1}{2}x-3$에 $x=0$을 대입하면 $y=-3$

$\therefore \mathrm{Q}(0, -3)$

(2)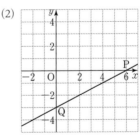

(3) $\triangle \mathrm{POQ}=\dfrac{1}{2}\times 6\times 3=9$

4 일차함수 $y=\dfrac{5}{3}x+\dfrac{1}{3}$의 그래프의 기울기는 $\dfrac{5}{3}$이므로

$\dfrac{(y\text{의 값의 증가량})}{11-2}=\dfrac{5}{3}$

∴ (y의 값의 증가량)$=15$

5 세 점 $A(-1, -3)$, $B(1, -1)$, $C(a, 1)$이 한 직선 위에 있으므로 두 점 A, B를 지나는 직선과 두 점 B, C를 지나는 직선의 기울기가 같다.

즉 $\dfrac{-1-(-3)}{1-(-1)}=\dfrac{1-(-1)}{a-1}$이므로

$1=\dfrac{2}{a-1}$, $a-1=2$ ∴ $a=3$

6 일차함수 $y=-\dfrac{1}{3}x$의 그래프를 y축의 방향으로 6만큼 평행이동한 그래프를 나타내는 일차함수의 식은

$y=-\dfrac{1}{3}x+6$

경수 : $y=-\dfrac{1}{3}x+6$에 $x=3$, $y=4$를 대입하면

$4\ne-\dfrac{1}{3}\times3+6$

즉 일차함수 $y=-\dfrac{1}{3}x+6$의 그래프는 점 $(3, 4)$를 지나지 않는다.

지훈 : 일차함수 $y=-\dfrac{1}{3}x+6$

의 그래프는 오른쪽 그림과 같이 제1, 2, 4사분면을 지난다.

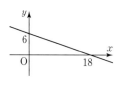

따라서 바르게 설명한 학생은 세정, 호정이다.

7 그래프가 오른쪽 위로 향하는 직선이므로 $a>0$
또, 그래프가 y축과 양의 부분에서 만나므로 $b>0$
따라서 $a>0$, $-b<0$이므로 일차함수 $y=ax-b$의 그래프로 알맞은 것은 ③이다.

8 두 일차함수의 그래프가 서로 일치하려면 기울기와 y절편이 각각 같아야 하므로

$2a=\dfrac{1}{4}$, $3=\dfrac{1}{2}b$ ∴ $a=\dfrac{1}{8}$, $b=6$

∴ $ab=\dfrac{1}{8}\times6=\dfrac{3}{4}$

5일 일차함수와 일차방정식

1 (1) $y=-2x+3$ (2) $y=3x+1$ (3) $y=2x-1$

2 (1) $y=-x+4$ (2) $y=3x+3$ **3** ⑤

4 (1) $y=6x+16$ (2) $70\,℃$

5 (1) $y=2x-5$, 기울기 : 2, x절편 : $\dfrac{5}{2}$, y절편 : -5

(2) $y=-2x+3$, 기울기 : -2, x절편 : $\dfrac{3}{2}$, y절편 : 3

6 풀이 참조   **7** ⑤

8 (1) 풀이 참조, $x=1$, $y=1$ (2) 풀이 참조, 해는 없다.

(3) 풀이 참조, 해는 무수히 많다.

1 (2) 구하는 일차함수의 식을 $y=3x+b$라 하면 그래프가 점 $(1, 4)$를 지나므로
$4=3+b$ ∴ $b=1$
따라서 구하는 일차함수의 식은 $y=3x+1$

(3) 그래프가 두 점 $(2, 3)$, $(4, 7)$을 지나므로
$(기울기)=\dfrac{7-3}{4-2}=2$
구하는 일차함수의 식을 $y=2x+b$라 하면 그래프가 점 $(2, 3)$을 지나므로
$3=4+b$ ∴ $b=-1$
따라서 구하는 일차함수의 식은 $y=2x-1$

2 (1) $y=-x-2$의 그래프와 평행하므로 기울기는 -1이고 y절편이 4이므로 구하는 일차함수의 식은
$y=-x+4$

(2) $(기울기)=\dfrac{3}{1}=3$
구하는 일차함수의 식을 $y=3x+b$라 하면 그래프가 점 $(1, 6)$을 지나므로
$6=3+b$ ∴ $b=3$
따라서 구하는 일차함수의 식은 $y=3x+3$

3 구하는 일차함수의 식을 $y=ax+b$라 하고
$y=ax+b$에 $x=0$, $y=5$를 대입하면 $b=5$

$y=ax+5$에 $x=-5$, $y=0$을 대입하면

$0=-5a+5$, $5a=5$ ∴ $a=1$

따라서 구하는 일차함수의 식은 $y=x+5$

4 (1) x와 y 사이의 관계식을 $y=ax+b$라 하고

$y=ax+b$에 $x=0$, $y=16$을 대입하면 $b=16$

$y=ax+16$에 $x=2$, $y=28$을 대입하면

$28=2a+16$, $2a=12$ ∴ $a=6$

따라서 x와 y 사이의 관계식은 $y=6x+16$

(2) $y=6x+16$에 $x=9$를 대입하면

$y=6\times9+16=70$

따라서 물을 끓이기 시작한 지 9분 후의 물의 온도는 70 ℃이다.

5 (1) $2x-y-5=0$에서 $y=2x-5$

따라서 $y=2x-5$이므로 기울기는 2이다.

$y=2x-5$에 $y=0$을 대입하면

$0=2x-5$, $2x=5$ ∴ $x=\dfrac{5}{2}$

$y=2x-5$에 $x=0$을 대입하면 $y=-5$

(2) $-6x-3y+9=0$에서 $3y=-6x+9$

따라서 $y=-2x+3$이므로 기울기는 -2이다.

$y=-2x+3$에 $y=0$을 대입하면

$0=-2x+3$, $2x=3$ ∴ $x=\dfrac{3}{2}$

$y=-2x+3$에 $x=0$을 대입하면 $y=3$

6 (2) $-3y=3$에서 $y=-1$

(3) $2y-4=0$에서

$2y=4$ ∴ $y=2$

(4) $6x-6=0$에서

$6x=6$ ∴ $x=1$

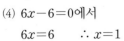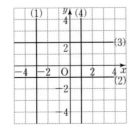

8 (1) $2x-y-1=0$에서

$y=2x-1$

$x+y-2=0$에서

$y=-x+2$

따라서 그래프는 오른쪽 그림과 같고 연립방정식의 해는 $x=1$, $y=1$이다.

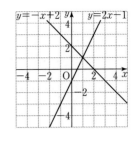

(2) $2x-y=2$에서 $y=2x-2$

$4x-2y=-4$에서

$2y=4x+4$

∴ $y=2x+2$

따라서 그래프는 오른쪽 그림과 같고 연립방정식의 해는 없다.

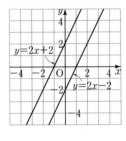

(3) $x+3y=3$에서

$3y=-x+3$

∴ $y=-\dfrac{1}{3}x+1$

$4x+12y=12$에서

$12y=-4x+12$

∴ $y=-\dfrac{1}{3}x+1$

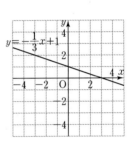

따라서 그래프는 위의 그림과 같고 연립방정식의 해는 무수히 많다.

교과서 기출 베스트 ❶유 | 52쪽~53쪽

| **1** ③ | **2** -2 | **3** ④ | **4** 300 km |
| **5** ③, ④ | **6** ④ | **7** ③ | **8** -4 |

2 ㈎에서 x의 값이 3만큼 증가할 때, y의 값은 2만큼 감소하므로

$a=\dfrac{-2}{3}=-\dfrac{2}{3}$

㈏에서 일차함수 $y=-\dfrac{2}{3}x+b$의 그래프가 점 $(-3, 5)$를 지나므로

$5=2+b$ ∴ $b=3$

∴ $ab=-\dfrac{2}{3}\times3=-2$

3 그래프가 두 점 $(-1, 3)$, $(5, 9)$를 지나므로

$$(기울기)=\frac{9-3}{5-(-1)}=1$$

구하는 일차함수의 식을 $y=x+b$라 하면 그래프가 점 $(-1, 3)$을 지나므로

$$3=-1+b \qquad \therefore b=4$$

따라서 구하는 일차함수의 식은 $y=x+4$

4 1 L의 휘발유로 12 km를 달릴 수 있으므로 1 km를 달릴 때 필요한 휘발유의 양은 $\frac{1}{12}$ L이다.

이때 x와 y 사이의 관계식은 $y=40-\frac{1}{12}x$

$y=40-\frac{1}{12}x$에 $y=15$를 대입하면

$$15=40-\frac{1}{12}x, \; \frac{1}{12}x=25 \qquad \therefore x=300$$

따라서 남은 연료가 15 L가 되는 것은 300 km를 달린 후이다.

5 $4x-2y-1=0$에서 $2y=4x-1$

$$\therefore y=2x-\frac{1}{2}$$

① x의 값이 증가할 때, y의 값도 증가한다.

② 일차함수 $y=2x-1$의 그래프와 평행하다.

⑤ y축과 만나는 점의 y좌표는 $-\frac{1}{2}$이다.

따라서 옳은 것은 ③, ④이다.

6 x축에 평행한 직선의 방정식은 $y=q$의 꼴이다.

이 직선이 점 $(-2, 5)$를 지나므로 구하는 직선의 방정식은 $y=5$

7 두 일차방정식의 그래프의 교점의 y좌표가 3이므로

$x+y=5$에 $y=3$을 대입하면

$$x+3=5 \qquad \therefore x=2$$

따라서 $ax+2y=3$에 $x=2$, $y=3$을 대입하면

$$2a+6=3, \; 2a=-3 \qquad \therefore a=-\frac{3}{2}$$

8 $\begin{cases} ax+6y=3 \\ 2x+by=-1 \end{cases}$ 에서 $\begin{cases} y=-\dfrac{a}{6}x+\dfrac{1}{2} \\ y=-\dfrac{2}{b}x-\dfrac{1}{b} \end{cases}$

주어진 연립방정식의 해가 무수히 많으려면 위의 두 일차함수의 그래프가 서로 일치해야 하므로

$$-\frac{a}{6}=-\frac{2}{b}, \; \frac{1}{2}=-\frac{1}{b}$$

따라서 $a=-6$, $b=-2$이므로

$$a-b=-6-(-2)=-4$$

교과서 기출 베스트 ②회 | 54쪽~55쪽

1 ③	2 ①	3 ③	4 ②
5 ②	6 ②	7 1	8 ①

1 일차함수 $y=-\frac{1}{2}x+\frac{1}{5}$의 그래프와 평행하므로 기울기는 $-\frac{1}{2}$이고, 일차함수 $y=-5x-2$의 그래프와 y축에서 만나므로 y절편은 -2이다.

따라서 구하는 일차함수의 식은 $y=-\frac{1}{2}x-2$

2 일차함수 $y=3x+4$의 그래프와 평행하므로 기울기는 3이다.

구하는 일차함수의 식을 $y=3x+b$라 하면 그래프가 점 $(2, 0)$을 지나므로

$$0=6+b \qquad \therefore b=-6$$

따라서 구하는 일차함수의 식은 $y=3x-6$이고 이 그래프가 점 $(5, k)$를 지나므로

$$k=15-6=9$$

3 그래프가 두 점 $(2, 1)$, $(4, 0)$을 지나므로

$$(기울기)=\frac{0-1}{4-2}=-\frac{1}{2}$$

일차함수의 식을 $y=-\frac{1}{2}x+b$라 하면 그래프가 점 $(2, 1)$을 지나므로

$1=-1+b$ $\therefore b=2$

따라서 일차함수의 식은 $y=-\dfrac{1}{2}x+2$이므로 구하는 y절편은 2이다.

4 양초에 불을 붙이면 2시간에 5 cm씩 타므로 1시간에 $\dfrac{5}{2}$ cm씩 탄다.

따라서 x와 y 사이의 관계식은 $y=20-\dfrac{5}{2}x$

5 $3x-y+1=0$에서 $y=3x+1$
① y절편은 1이다.
③ 그래프는 제4사분면을 지나지 않는다.
④ $y=3x+1$에 $y=0$을 대입하면
$0=3x+1$, $3x=-1$ $\therefore x=-\dfrac{1}{3}$
즉 x축과 만나는 점의 좌표는 $\left(-\dfrac{1}{3},\,0\right)$이다.
⑤ 일차함수 $y=-3x+1$의 그래프와 평행하지 않다.
따라서 옳은 것은 ②이다.

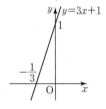

6 주어진 직선과 평행하려면 구하는 직선의 방정식은 $x=p$의 꼴이어야 한다.
이 직선이 점 $(1,\,0)$을 지나므로 구하는 직선의 방정식은 $x=1$

7 두 일차방정식의 그래프의 교점의 좌표가 $(2,\,-2)$이므로
$ax+3y=a-1$에 $x=2$, $y=-2$를 대입하면
$2a-6=a-1$ $\therefore a=5$
$x-y=-b$에 $x=2$, $y=-2$를 대입하면
$2+2=-b$ $\therefore b=-4$
$\therefore a+b=5+(-4)=1$

8 $\begin{cases}2x-4y=5 \\ -x+2y=a\end{cases}$에서 $\begin{cases}y=\dfrac{1}{2}x-\dfrac{5}{4} \\ y=\dfrac{1}{2}x+\dfrac{1}{2}a\end{cases}$
주어진 연립방정식의 해가 없으려면 위의 두 일차함수의

그래프가 평행해야 하므로
$-\dfrac{5}{4}\neq\dfrac{1}{2}a$ $\therefore a\neq-\dfrac{5}{2}$
따라서 a의 값이 될 수 없는 것은 ①이다.

누구나 100점 테스트 ❶회 | 56쪽~57쪽

1 ①	2 ②	3 ①	4 은채
5 ④	6 ⑤	7 $x=-1, y=2$	
8 ②	9 연필 : 6자루, 볼펜 : 4자루		10 40세

1 ① $y=2x+1$에서 $2x-y+1=0$이므로 미지수가 2개인 일차방정식이다.
② $3x+5=9$에서 $3x-4=0$이므로 미지수가 1개인 일차방정식이다.
③ 미지수가 2개인 일차식이다.
④ $x^2-2x=y$에서 $x^2-2x-y=0$이므로 미지수가 2개인 일차방정식이 아니다.
⑤ $3x+y+7=-(1-y)$에서 $3x+8=0$이므로 미지수가 1개인 일차방정식이다.
따라서 미지수가 2개인 일차방정식은 ①이다.

2 ② $x=2$, $y=-3$을 $x-3y=11$에 대입하면
$2-3\times(-3)=11$
따라서 일차방정식 $x-3y=11$은 $x=2$, $y=-3$을 해로 갖는다.

3 $x=1,\,2,\,3,\,\cdots$일 때, 일차방정식 $2x+3y=10$을 만족시키는 y의 값을 구해 보면 다음 표와 같다.

x	1	2	3	4	$\cdots$
y	$\dfrac{8}{3}$	2	$\dfrac{4}{3}$	$\dfrac{2}{3}$	$\cdots$

따라서 x, y가 자연수일 때, 일차방정식 $2x+3y=10$을 만족시키는 순서쌍 $(x,\,y)$는 $(2,\,2)$의 1개이다.

4 은채 : $x=2, y=-1$을 $\begin{cases} x-2y=4 \\ 4x+y=7 \end{cases}$의 각 일차방정식에

대입하면 $\begin{cases} 2-2\times(-1)=4 \\ 4\times2+(-1)=7 \end{cases}$

즉 연립방정식 $\begin{cases} x-2y=4 \\ 4x+y=7 \end{cases}$의 해는 $x=2, y=-1$

이다.

따라서 해가 $x=2, y=-1$인 연립방정식을 말한 학생은
은채이다.

5 $x+y=1$에서 $x=5, y=b$를 대입하면

$5+b=1$ $\quad \therefore b=-4$

$ax-2y=3$에 $x=5, y=-4$를 대입하면

$5a+8=3, 5a=-5$ $\quad \therefore a=-1$

$\therefore 2a-b=2\times(-1)-(-4)=2$

6 $\begin{cases} x=y+3 & \cdots\cdots ㉠ \\ 2x-3y=2 & \cdots\cdots ㉡ \end{cases}$

㉠을 ㉡에 대입하면

$2(y+3)-3y=2, 2y+6-3y=2$

$-y=-4$ $\quad \therefore y=4$

$y=4$를 ㉠에 대입하면

$x=4+3=7$

따라서 $a=7, b=4$이므로

$a-b=7-4=3$

7 $\begin{cases} 2x+3y=4 & \cdots\cdots ㉠ \\ -x+2y=5 & \cdots\cdots ㉡ \end{cases}$

㉠+㉡$\times2$를 하면

$7y=14$ $\quad \therefore y=2$

$y=2$를 ㉠에 대입하면

$2x+6=4, 2x=-2$ $\quad \therefore x=-1$

8 $\begin{cases} 0.2x-y=-1.2 & \cdots\cdots ㉠ \\ \dfrac{3}{2}x+\dfrac{13}{4}y=\dfrac{7}{4} & \cdots\cdots ㉡ \end{cases}$

㉠$\times10$, ㉡$\times4$를 하면

$\begin{cases} 2x-10y=-12 & \cdots\cdots ㉢ \\ 6x+13y=7 & \cdots\cdots ㉣ \end{cases}$

㉢$\times3-㉣$을 하면

$-43y=-43$ $\quad \therefore y=1$

$y=1$을 ㉢에 대입하면

$2x-10=-12, 2x=-2$ $\quad \therefore x=-1$

9 서영이가 연필을 x자루, 볼펜을 y자루를 샀다고 하면

$\begin{cases} x+y=10 \\ 300x+500y=3800 \end{cases} \rightarrow \begin{cases} x+y=10 & \cdots\cdots ㉠ \\ 3x+5y=38 & \cdots\cdots ㉡ \end{cases}$

㉠$\times3-㉡$을 하면

$-2y=-8$ $\quad \therefore y=4$

$y=4$를 ㉠에 대입하면

$x+4=10$ $\quad \therefore x=6$

따라서 연필은 6자루, 볼펜은 4자루 샀다.

10 현재 아버지의 나이를 x세, 아들의 나이를 y세라 하면

$\begin{cases} x+y=55 \\ x+10=2(y+10) \end{cases} \rightarrow \begin{cases} x+y=55 & \cdots\cdots ㉠ \\ x-2y=10 & \cdots\cdots ㉡ \end{cases}$

㉠$-㉡$을 하면

$3y=45$ $\quad \therefore y=15$

$y=15$를 ㉠에 대입하면

$x+15=55$ $\quad \therefore x=40$

따라서 현재 아버지의 나이는 40세이다.

누구나 100점 테스트 ❷회 | 58쪽~59쪽

1 ⑤	**2** ③	**3** ③	**4** ⑤
5 ①	**6** ⑤	**7** ②	**8** ㉠, ㉣
9 시민, 승호	**10** ①		

1 ① $x=2$일 때, 2보다 큰 음수는 없으므로 y는 x의 함수
가 아니다.

②, ③, ④ x의 값이 하나 정해질 때 y의 값이 하나로 정
해지지 않는다. 즉 y는 x의 함수가 아니다.

⑤ $y=6x$

따라서 y가 x의 함수인 것은 ⑤이다.

2 $f(-2)=-2+1=-1$

$f(1)=1+1=2$

$\therefore f(-2)+2f(1)=-1+2\times2=3$

3 ① x항이 없으므로 y는 x에 대한 일차함수가 아니다.

② x가 분모에 있으므로 y는 x에 대한 일차함수가 아니다.

④, ⑤ x^2항이 있으므로 y는 x에 대한 일차함수가 아니다.

따라서 y가 x에 대한 일차함수인 것은 ③이다.

4 민호 : $y=\dfrac{1}{3}x-3$에 $y=0$을 대입하면

$0=\dfrac{1}{3}x-3,\ \dfrac{1}{3}x=3$ $\therefore x=9$

즉 x절편은 9이다.

민지 : 그래프는 오른쪽 그림과
같으므로 제2사분면을
지나지 않는다.

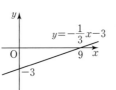

수진 : 일차함수 $y=\dfrac{1}{3}x$의 그

래프와 기울기가 같으므로 서로 평행하다.

따라서 바르게 설명한 학생은 민호, 수진이다.

5 일차함수 $y=-4x$의 그래프를 y축의 방향으로 -2만큼
평행이동한 그래프를 나타내는 일차함수의 식은

$y=-4x-2$

이 그래프가 점 $(1,a)$를 지나므로

$a=-4-2=-6$

6 일차함수 $y=3x-2$의 그래프와 평행하므로 기울기는 3
이다. 또, y절편이 4이므로 구하는 일차함수의 식은

$y=3x+4$

7 그래프가 오른쪽 아래로 향하는 직선이므로 $a<0$
또, 그래프가 y축과 음의 부분에서 만나므로 $b<0$
따라서 $-a>0$, $b<0$이므로 일차함
수 $y=-ax+b$의 그래프는 오른쪽
그림과 같이 제2사분면을 지나지 않
는다.

8 ㉠ $x+2=0$에서 $x=-2$이므로 그래프는 y축에 평행
하다.

㉡ $y-1=5x$에서 $y=5x+1$이므로 그래프는 좌표축에
평행하지 않다.

㉢ $x+4y=3$에서 $y=-\dfrac{1}{4}x+\dfrac{3}{4}$이므로 그래프는 좌표
축에 평행하지 않다.

㉣ $2(x+y)-1=2x$에서 $y=\dfrac{1}{2}$이므로 그래프는 x축에
평행하다.

따라서 그래프가 좌표축에 평행한 것은 ㉠, ㉣이다.

9 $3x+y-1=0$에서 $y=-3x+1$

선예 : 기울기는 -3이다.

시민 : $y=-3x+1$에 $x=1$, $y=-2$를 대입하면

$-2=-3\times1+1$

즉 그래프가 점 $(1,-2)$를 지난다.

예빈 : $y=-3x+1$에 $y=0$을 대입하면

$0=-3x+1,\ 3x=1$ $\therefore x=\dfrac{1}{3}$

즉 x절편은 $\dfrac{1}{3}$, y절편은 1이다.

승호 : 기울기가 -3이므로 그래프는 오른쪽 아래로 향
하는 직선이다.

따라서 바르게 설명한 학생은 시민, 승호이다.

10 주어진 연립방정식의 해는 두 일차방정식의 그래프의 교
점의 좌표와 같으므로 $(-1,-1)$이다.

| 60쪽~61쪽

서술형·사고력 테스트

1 (1) 풀이 참조 (2) 풀이 참조

2 (1) ㉡, ㉣, ㉤ (2) ㉠, ㉢, 이유는 풀이 참조

3 (1) $(2, 1)$ (2) $(-1, -2)$

4 (1) ㉠과 ㉢

　　(2) ① 0 ② 0, 그래프는 풀이 참조

---

1 (1) $\begin{cases} y=2x-4 & \cdots\cdots ㉠ \\ x+3y=9 & \cdots\cdots ㉡ \end{cases}$

[❶단계] ㉠을 ㉡에 대입하면

$x+3(2x-4)=9$, $x+6x-12=9$

$7x=21$ ∴ $x=3$ $\cdots\cdots$ ㈎

[❷단계] $x=3$을 ㉠에 대입하면

$y=2\times3-4=2$ $\cdots\cdots$ ㈏

[❸단계] 연립방정식의 해는 $x=3$, $y=2$ $\cdots\cdots$ ㈐

(2) $\begin{cases} -2x+3y=4 & \cdots\cdots ㉠ \\ 5x+2y=28 & \cdots\cdots ㉡ \end{cases}$

[❶단계] ㉠$\times2-$㉡$\times3$을 하면

$-19x=-76$ ∴ $x=4$ $\cdots\cdots$ ㈑

[❷단계] $x=4$를 ㉠에 대입하면

$-8+3y=4$, $3y=12$ ∴ $y=4$ $\cdots\cdots$ ㈒

[❸단계] 연립방정식의 해는 $x=4$, $y=4$ $\cdots\cdots$ ㈓

채점 기준	비율
㈎ 한 미지수의 값 구하기	20 %
㈏ 다른 한 미지수의 값 구하기	20 %
㈐ 연립방정식의 해 구하기	10 %
㈑ 한 미지수의 값 구하기	20 %
㈒ 다른 한 미지수의 값 구하기	20 %
㈓ 연립방정식의 해 구하기	10 %

2 (1) x와 y 사이의 관계식은 다음과 같다.

㉡ $y=x+2$ ㉣ $y=1000x$ ㉤ $y=2\pi x$

따라서 y가 x의 함수인 것은 ㉡, ㉣, ㉤이다. $\cdots\cdots$ ㈎

(2) y가 x의 함수가 아닌 것은 ㉠, ㉢이다. $\cdots\cdots$ ㈏

㉠ $x=6$일 때, $y=2$, 3이므로 x의 값이 하나로 정해

질 때 y의 값이 하나로 정해지지 않는다.

즉 y는 x의 함수가 아니다.

㉢ $x=1$일 때, y의 값을 정할 수 없으므로 y는 x의 함

수가 아니다. $\cdots\cdots$ ㈐

채점 기준	비율
㈎ y가 x의 함수인 것 찾기	40 %
㈏ y가 x의 함수가 아닌 것 찾기	40 %
㈐ y가 x의 함수가 아닌 이유 설명하기	20 %

3 (1) 주어진 연립방정식의 해는 두 일차방정식 $x+y=3$,

$x-y=1$의 그래프의 교점의 좌표와 같으므로 $(2, 1)$

이다. $\cdots\cdots$ ㈎

(2) 주어진 연립방정식의 해는 두 일차방정식 $x-y=1$,

$2x-y=0$의 그래프의 교점의 좌표와 같으므로

$(-1, -2)$이다. $\cdots\cdots$ ㈏

채점 기준	비율
㈎ 주어진 연립방정식의 해 구하기	50 %
㈏ 주어진 연립방정식의 해 구하기	50 %

4 ㉢ $x+y=1$에서 $y=-x+1$

㉣ $y+2x=4$에서 $y=-2x+4$

(1) 두 일차함수의 그래프가 서로 평행하려면 기울기는

같고, y절편은 달라야 하므로 ㉠과 ㉢ $\cdots\cdots$ ㈎

(2) $x+y=1$에 $x=1$을 대입하면

$1+y=1$ ∴ $y=0$

즉 ①에 알맞은 수는 0이다.

$x+y=1$에 $y=1$을 대입하면 $x+1=1$

∴ $x=0$ $\cdots\cdots$ ㈏

즉 ②에 알맞은 수는 0이다.

일차방정식 ㉢의 그래프는

두 점 $(1, 0)$, $(0, 1)$을 지

나므로 그래프는 오른쪽 그

림과 같다. $\cdots\cdots$ ㈐

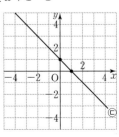

채점 기준	비율
(개) 서로 평행한 것끼리 짝 짓기	40 %
(내) ①, ②에 알맞은 수 구하기	20 %
(대) ⓒ의 그래프 그리기	40 %

창의·융합·코딩 테스트 | *62쪽~63쪽*

1 (1) $4x-3y=-10$ (2) $x=-1, y=2$　　2 5개

3 -14　　4 (1) 10 (2) 15

5 (1) $y=\dfrac{1}{4}x+2$ (2) $y=\dfrac{1}{3}x-1$ (3) $(36, 11)$

1 (2) $\begin{cases} 3x+2y=1 & \cdots\cdots ㉠ \\ 4x-3y=-10 & \cdots\cdots ㉡ \end{cases}$ 에서

㉠$\times 3+$㉡$\times 2$를 하면

$17x=-17$　　$\therefore x=-1$

$x=-1$을 ㉠에 대입하면

$-3+2y=1, 2y=4$　　$\therefore y=2$

2 혜원이가 3점짜리 문제를 x개, 5점짜리 문제를 y개 맞혔다고 하면

$\begin{cases} x+y=14 & \cdots\cdots ㉠ \\ 3x+5y=52 & \cdots\cdots ㉡ \end{cases}$

㉠$\times 3-$㉡을 하면

$-2y=-10$　　$\therefore y=5$

$y=5$를 ㉠에 대입하면

$x+5=14$　　$\therefore x=9$

따라서 혜원이는 5점짜리 문제를 5개 맞혔다.

3 $4x-2y+5=0$에서 $2y=4x+5$

$\therefore y=2x+\dfrac{5}{2}$

$y=2x+\dfrac{5}{2}$의 그래프와 평행하므로 기울기는 2이다.

구하는 직선의 방정식을 $y=2x+b$라 하면 그래프가 점

$(4, 1)$을 지나므로

$1=8+b$　　$\therefore b=-7$

따라서 구하는 직선의 방정식은 $y=2x-7$

즉 $2x-y-7=0$이므로 $a=2, b=-7$

$\therefore ab=2\times(-7)=-14$

4 (1) $y=\dfrac{3}{4}x+3$에 $y=0$을 대입하면

$0=\dfrac{3}{4}x+3, \dfrac{3}{4}x=-3$　　$\therefore x=-4$

$y=-\dfrac{1}{2}x+3$에 $y=0$을 대입하면

$0=-\dfrac{1}{2}x+3, \dfrac{1}{2}x=3$　　$\therefore x=6$

따라서 삼각형의 밑변의 길이는 $6-(-4)=10$

(2) 오른쪽 그림에서 구하는 삼각형의 넓이는

$\dfrac{1}{2}\times 10\times 3=15$

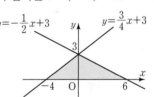

5 (1) 직선 ㉠은 두 점 $(0, 2), (4, 3)$을 지나므로

$(기울기)=\dfrac{3-2}{4-0}=\dfrac{1}{4}$

y절편이 2이므로 직선 ㉠의 방정식은

$y=\dfrac{1}{4}x+2$

(2) 직선 ㉡은 두 점 $(0, -1), (3, 0)$을 지나므로

$(기울기)=\dfrac{0-(-1)}{3-0}=\dfrac{1}{3}$

y절편이 -1이므로 직선 ㉡의 방정식은

$y=\dfrac{1}{3}x-1$

(3) $\begin{cases} y=\dfrac{1}{4}x+2 & \cdots\cdots ㉠ \\ y=\dfrac{1}{3}x-1 & \cdots\cdots ㉡ \end{cases}$ 에서

㉠을 ㉡에 대입하면

$\dfrac{1}{4}x+2=\dfrac{1}{3}x-1, \dfrac{1}{12}x=3$　　$\therefore x=36$

$x=36$을 ㉠에 대입하면 $y=\dfrac{1}{4}\times 36+2=11$

따라서 구하는 점의 좌표는 $(36, 11)$이다.

7일

기말고사 기본 테스트 1회 | 64쪽~67쪽

1 ④	**2** ②	**3** ②	**4** ②
5 ③	**6** ④	**7** ②	**8** ⑤
9 희철	**10** ①	**11** $\frac{43}{5}$	**12** ⑤
13 ⑤	**14** ③	**15** ②	**16** 78회
17 8	**18** $x=3, y=2$		**19** 4
20 (1) $\frac{1}{4}$ (2) $\frac{3-a}{2}$ (3) $\frac{5}{2}$			

1 ① x^2항이 있으므로 미지수가 2개인 일차방정식이 아니다.
　② 미지수가 1개인 일차방정식이다.
　③ $2(x+y)=2x+y-3$에서 $y+3=0$이므로 미지수가 1개인 일차방정식이다.
　④ $3x+y^2=y^2-2y+1$에서 $3x+2y-1=0$이므로 미지수가 2개인 일차방정식이다.
　⑤ $5(x-y+1)=-5y-3$에서 $5x+8=0$이므로 미지수가 1개인 일차방정식이다.
　따라서 미지수가 2개인 일차방정식은 ④이다.

2 $x=1, 2, 3, \cdots$일 때, 일차방정식 $x+3y=9$를 만족시키는 y의 값을 구해 보면 다음 표와 같다.

x	1	2	3	4	5	6	$\cdots$
y	$\frac{8}{3}$	$\frac{7}{3}$	2	$\frac{5}{3}$	$\frac{4}{3}$	1	$\cdots$

따라서 x, y가 자연수일 때, 일차방정식 $x+3y=9$의 해의 순서쌍 (x, y)는 $(3, 2)$, $(6, 1)$의 2개이다.

3 $2x-3y+a=0$에 $x=-1, y=-2$를 대입하면
　$-2+6+a=0$ 　 ∴ $a=-4$

5 $\begin{cases} y=2x & \cdots\cdots ㉠ \\ ax+y=5 & \cdots\cdots ㉡ \end{cases}$

㉠을 $y=x+1$에 대입하면
$2x=x+1$ 　 ∴ $x=1$
$x=1$을 ㉠에 대입하면
$y=2\times 1=2$
따라서 $x=1, y=2$를 ㉡에 대입하면
$a+2=5$ 　 ∴ $a=3$

6 연립방정식 $\begin{cases} 2x+y=-1 \\ 2x+3y=-1 \end{cases}$을 풀면 $x=-\frac{1}{2}, y=0$

$x=-\frac{1}{2}, y=0$을 $ax+2y=4$에 대입하면
$-\frac{1}{2}a=4$ 　 ∴ $a=-8$
$x=-\frac{1}{2}, y=0$을 $x+4y=b$에 대입하면
$b=-\frac{1}{2}$
∴ $ab=-8\times\left(-\frac{1}{2}\right)=4$

7 현재 아버지의 나이를 x세, 딸의 나이를 y세라 하면
$\begin{cases} x+y=63 \\ x+6=3(y+6)-5 \end{cases}$ → $\begin{cases} x+y=63 & \cdots\cdots ㉠ \\ x-3y=7 & \cdots\cdots ㉡ \end{cases}$
㉠－㉡을 하면
$4y=56$ 　 ∴ $y=14$
$y=14$를 ㉠에 대입하면
$x+14=63$ 　 ∴ $x=49$
따라서 현재 딸의 나이는 14세이다.

8 $f(2)=\frac{a}{2}=1$이므로 $a=2$
따라서 $f(x)=\frac{2}{x}$이므로
$f(3)-f(-1)=\frac{2}{3}-\frac{2}{-1}=\frac{2}{3}+2=\frac{8}{3}$

9 x와 y 사이의 관계식을 구해 보면 다음과 같다.
　희철 : $y=24-x$

정아 : $y = \dfrac{60}{x}$

은아 : $y = x(x+3)$에서 $y = x^2 + 3x$

우성 : $y = \dfrac{1}{x}$

따라서 y가 x에 대한 일차함수인 것을 말한 학생은 희철이다.

10 $y = 2x - 1$에 $x = 2, y = 5 + a$를 대입하면

$5 + a = 4 - 1$ $\quad \therefore a = -2$

11 x절편은 5이므로 $a = 5$

y절편은 -3이므로 $b = -3$

주어진 그래프가 두 점 $(0, -3), (5, 0)$을 지나므로

$c = \dfrac{0 - (-3)}{5 - 0} = \dfrac{3}{5}$

$\therefore a - b + c = 5 - (-3) + \dfrac{3}{5} = \dfrac{43}{5}$

12 일차함수 $y = \dfrac{1}{2}x - \dfrac{1}{6}$의 그래프의 기울기는 $\dfrac{1}{2}$이므로

$\dfrac{1}{2} = \dfrac{(y의\ 값의\ 증가량)}{10}$

$\therefore (y의\ 값의\ 증가량) = 5$

13 ① $y = -\dfrac{2}{3}x + 4$에 $x = -3, y = 2$를 대입하면

$2 \neq -\dfrac{2}{3} \times (-3) + 4$

② 그래프는 오른쪽 그림과 같으므로 제3사분면을 지나지 않는다.

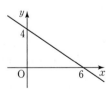

③ $y = -\dfrac{2}{3}x + 4$에 $y = 0$을 대입하면

$0 = -\dfrac{2}{3}x + 4, \ \dfrac{2}{3}x = 4$ $\quad \therefore x = 6$

따라서 x절편은 6이고 y절편은 4이다.

④ $y = \dfrac{2}{3}x + 1$의 그래프와 기울기가 다르므로 서로 평행하지 않다.

따라서 옳은 것은 ⑤이다.

14 처음으로 틀린 부분은 ③이고 이 부분부터 바르게 고치면 다음과 같다.

$8 = -2 \times (-1) + b$ $\quad \therefore b = 6$

따라서 구하는 일차함수의 식은 $y = -2x + 6$

15 x축에 수직인 직선은 $x = p$의 꼴이다.

이 직선이 점 $(3, -5)$를 지나므로 구하는 직선의 방정식은 $x = 3$

16 귀뚜라미가 울음소리를 낸 횟수를 x회, 섭씨 온도를 $y\ ℃$라 하고, x와 y 사이의 관계식을 $y = ax + b$라 하자.

$y = ax + b$에 $x = 48, y = 20$을 대입하면

$20 = 48a + b$ $\quad \cdots\cdots ㉠$

$y = ax + b$에 $x = 33, y = 15$를 대입하면

$15 = 33a + b$ $\quad \cdots\cdots ㉡$

㉠ $-$ ㉡을 하면 $5 = 15a$ $\quad \therefore a = \dfrac{1}{3}$

$a = \dfrac{1}{3}$을 ㉠에 대입하면

$20 = 16 + b$ $\quad \therefore b = 4$

즉 $y = \dfrac{1}{3}x + 4$에 $y = 30$을 대입하면

$30 = \dfrac{1}{3}x + 4, \ \dfrac{1}{3}x = 26$ $\quad \therefore x = 78$

따라서 섭씨 온도가 $30\ ℃$일 때, 귀뚜라미가 25초 동안 우는 횟수는 78회이다.

17 $\begin{cases} ax + 6y = b \\ 4x - 3y = 8 \end{cases}$에서 $\begin{cases} y = -\dfrac{a}{6}x + \dfrac{b}{6} \\ y = \dfrac{4}{3}x - \dfrac{8}{3} \end{cases}$

주어진 연립방정식의 해가 무수히 많으려면 두 일차함수의 그래프가 서로 일치해야 하므로

$-\dfrac{a}{6}=\dfrac{4}{3}$, $\dfrac{b}{6}=-\dfrac{8}{3}$ $\therefore a=-8, b=-16$

$\therefore a-b=-8-(-16)=8$

18 $\begin{cases} 0.1x+0.2y=0.7 & \cdots\cdots \text{㉠} \\ \dfrac{2}{3}x+\dfrac{1}{2}y=3 & \cdots\cdots \text{㉡} \end{cases}$

㉠×10, ㉡×6을 하면

$\begin{cases} x+2y=7 & \cdots\cdots \text{㉢} \\ 4x+3y=18 & \cdots\cdots \text{㉣} \end{cases}$ $\qquad \cdots\cdots$ (개)

㉢×4-㉣을 하면

$5y=10$ $\therefore y=2$

$y=2$를 ㉢에 대입하면

$x+4=7$ $\therefore x=3$ $\qquad\qquad \cdots\cdots$ (내)

채점 기준	비율
(개) 연립방정식의 계수를 정수로 만들기	40 %
(내) 연립방정식 풀기	60 %

19 주어진 두 일차방정식의 그래프의 교점의 y좌표가 4이므로

$x+y=6$에 $y=4$를 대입하면

$x+4=6$ $\therefore x=2$ $\qquad\qquad \cdots\cdots$ (개)

따라서 $ax-y=4$에 $x=2$, $y=4$를 대입하면

$2a-4=4$, $2a=8$ $\therefore a=4$ $\qquad \cdots\cdots$ (내)

채점 기준	비율
(개) 주어진 두 일차방정식의 그래프의 교점의 x 좌표 구하기	50 %
(내) a의 값 구하기	50 %

20 (1) (기울기)$=\dfrac{3-1}{4-(-4)}=\dfrac{1}{4}$ $\qquad \cdots\cdots$ (개)

(2) (기울기)$=\dfrac{3-a}{4-2}=\dfrac{3-a}{2}$ $\qquad \cdots\cdots$ (내)

(3) $\dfrac{1}{4}=\dfrac{3-a}{2}$이므로 $12-4a=2$

$-4a=-10$ $\therefore a=\dfrac{5}{2}$ $\qquad \cdots\cdots$ (대)

채점 기준	비율
(개) 두 점 A, C를 지나는 직선의 기울기 구하기	30 %
(내) 두 점 B, C를 지나는 직선의 기울기 구하기	30 %
(대) a의 값 구하기	40 %

기말고사 기본 테스트 ❷회 | 68쪽~71쪽

1 ③	**2** ⑤	**3** ①	**4** ②
5 ③	**6** ⑤	**7** ①	**8** ⑤
9 ④	**10** ④	**11** ③	**12** ③
13 ①	**14** ③	**15** ③	**16** ①, ④
17 ③	**18** -2	**19** 10 km	**20** 10

1 $x=a$, $y=1$을 $x+2y=5$에 대입하면

$a+2=5$ $\therefore a=3$

2 $\begin{cases} 2x+y=7 & \cdots\cdots \text{㉠} \\ x-y=-1 & \cdots\cdots \text{㉡} \end{cases}$

㉠+㉡을 하면

$3x=6$ $\therefore x=2$

$x=2$를 ㉠에 대입하면

$4+y=7$ $\therefore y=3$

따라서 $a=2$, $b=3$이므로

$a+b=2+3=5$

3 $\begin{cases} 2x-y=4 & \cdots\cdots \text{㉠} \\ 3x+2y=13 & \cdots\cdots \text{㉡} \end{cases}$

㉠×2+㉡을 하면

$7x=21$ $\therefore x=3$

$x=3$을 ㉠에 대입하면

$6-y=4$, $-y=-2$ $\therefore y=2$

따라서 $x=3$, $y=2$를 $ax+y=8$에 대입하면

$3a+2=8$, $3a=6$ $\therefore a=2$

4 $4x+y=10$에 $x=b$, $y=-2$를 대입하면
$4b-2=10$, $4b=12$ $\therefore b=3$
$ax-4y=5$에 $x=3$, $y=-2$를 대입하면
$3a+8=5$, $3a=-3$ $\therefore a=-1$
$\therefore a-b=-1-3=-4$

5 $\begin{cases} 0.1x+0.3y=2.1 & \cdots\cdots \ \textcircled{\scriptsize ㄱ} \\ \dfrac{x}{3}+\dfrac{y}{4}=1 & \cdots\cdots \ \textcircled{\scriptsize ㄴ} \end{cases}$

$\textcircled{\scriptsize ㄱ}\times 10$, $\textcircled{\scriptsize ㄴ}\times 12$를 하면
$\begin{cases} x+3y=21 & \cdots\cdots \ \textcircled{\scriptsize ㄷ} \\ 4x+3y=12 & \cdots\cdots \ \textcircled{\scriptsize ㄹ} \end{cases}$
$\textcircled{\scriptsize ㄷ}-\textcircled{\scriptsize ㄹ}$을 하면
$-3x=9$ $\therefore x=-3$
$x=-3$을 $\textcircled{\scriptsize ㄷ}$에 대입하면
$-3+3y=21$, $3y=24$ $\therefore y=8$
③ 주어진 연립방정식에 $x=-3$, $y=8$을 대입하면
$\begin{cases} -3+8=5 \\ 3\times(-3)+2\times 8=7 \end{cases}$
따라서 같은 해를 갖는 것은 ③이다.

6 주어진 방정식을 연립방정식 $\begin{cases} \dfrac{x-3y}{6}=1 \\ \dfrac{2x-y}{7}=1 \end{cases}$ 로 바꾸고 정

리하면
$\begin{cases} x-3y=6 & \cdots\cdots \ \textcircled{\scriptsize ㄱ} \\ 2x-y=7 & \cdots\cdots \ \textcircled{\scriptsize ㄴ} \end{cases}$
$\textcircled{\scriptsize ㄱ}\times 2-\textcircled{\scriptsize ㄴ}$을 하면
$-5y=5$ $\therefore y=-1$
$y=-1$을 $\textcircled{\scriptsize ㄱ}$에 대입하면
$x+3=6$ $\therefore x=3$
따라서 $a=3$, $b=-1$이므로
$a-b=3-(-1)=4$

7 ① $x=2$일 때, $y=1, 3, 5, \cdots$이므로 x의 값이 하나로 정해질 때 y의 값이 하나로 정해지지 않는다.
즉 y는 x의 함수가 아니다.

② $y=20+x$ ③ $y=50x$
④ $y=4x$ ⑤ $y=1500x$
따라서 y가 x의 함수가 아닌 것은 ①이다.

8 $f(-1)=a+2=6$이므로 $a=4$

9 일차함수 $y=-2x$의 그래프를 y축의 방향으로 5만큼 평행이동한 그래프를 나타내는 일차함수의 식은
$y=-2x+5$
이 그래프가 점 $(-1, a)$를 지나므로
$a=2+5=7$

10 $a=\dfrac{4}{1-(-2)}=\dfrac{4}{3}$

11 주어진 직선은 두 점 $(-2, 0)$, $(0, 2)$를 지나므로
$(기울기)=\dfrac{2-0}{0-(-2)}=1$, $(y절편)=2$
따라서 주어진 직선과 평행한 것은 기울기는 같고, y절편은 다른 ③이다.

12 x의 값이 증가할 때 y의 값도 증가하므로 $(기울기)>0$이어야 하고, 제4사분면을 지나므로 $(y절편)<0$이어야 한다.
따라서 구하는 일차함수는 ③이다.

13 그래프가 오른쪽 아래로 향하는 직선이므로 $a<0$
또, 그래프가 y축과 양의 부분에서 만나므로 $b>0$
따라서 $ab<0$이므로 일차함수 $y=abx+a$의 그래프는 오른쪽 그림과 같이 제1사분면을 지나지 않는다.

14 $3x-y=5$에 $y=1$을 대입하면

$3x-1=5, 3x=6$ $\therefore x=2$

따라서 $4x+ay=5$에 $x=2, y=1$을 대입하면

$8+a=5$ $\therefore a=-3$

15 $2x-y-4=0$에서 $y=2x-4$

민혁 : $y=2x-4$에 $x=0, y=0$을 대입하면

$0 \neq 2 \times 0 - 4$

즉 원점을 지나지 않는다.

준혁 : (y절편)<0이므로 y축과 음의 부분에서 만난다.

영미 : 일차함수 $y=\dfrac{1}{2}x-4$의 그래프보다 기울기의 절

댓값이 크므로 y축에 더 가깝다.

따라서 바르게 설명한 학생은 수영, 영미이다.

16 $-2x=8$에서 $x=-4$

① 점 $(-4, 3)$의 x좌표는 -4이므로 점 $(-4, 3)$을 지난다.

② 점 $(0, -4)$의 x좌표는 0이므로 점 $(0, -4)$를 지나지 않는다.

③ y축에 평행한 직선이다.

⑤ 제1, 4사분면을 지나지 않는다.

따라서 옳은 것은 ①, ④이다.

17 열을 가한 후 2분마다 $5\,$℃의 비율로 물의 온도가 높아지므로 1분마다 $\dfrac{5}{2}\,$℃의 비율로 물의 온도가 높아진다.

이때 x와 y 사이의 관계식은 $y=15+\dfrac{5}{2}x$

$y=15+\dfrac{5}{2}x$에 $x=10$을 대입하면 $y=15+\dfrac{5}{2}\times10=40$

따라서 열을 가한 지 10분 후의 물이 온도는 $40\,$℃이다.

18 연립방정식 $\begin{cases} x+2y=2 \\ 0.3x+0.5y=\dfrac{2}{5} \end{cases}$에서

19 $\begin{cases} x+2y=2 \\ 3x+5y=4 \end{cases}$ $\therefore x=-2, y=2$ …… (가)

$x=-2, y=2$를 $ax+y=3$에 대입하면

$-2a+2=3, -2a=1$ $\therefore a=-\dfrac{1}{2}$ …… (나)

$x=-2, y=2$를 $\dfrac{3}{2}x+\dfrac{5}{2}y=b$에 대입하면

$b=-3+5=2$ …… (다)

$\therefore 2ab=2\times\left(-\dfrac{1}{2}\right)\times2=-2$ …… (라)

채점 기준	비율
(가) 미지수가 없는 두 일차방정식을 찾아 연립방정식을 만든 후 연립방정식의 해 구하기	30 %
(나) a의 값 구하기	30 %
(다) b의 값 구하기	30 %
(라) $2ab$의 값 구하기	10 %

19 지윤이와 엄마가 시속 $5\,$km로 걸은 거리를 $x\,$km, 시속 $4\,$km로 걸은 거리를 $y\,$km라 하면

$\begin{cases} x+y=12 \\ \dfrac{x}{5}+\dfrac{y}{4}=\dfrac{5}{2} \end{cases} \rightarrow \begin{cases} x+y=12 & \cdots\cdots ㉠ \\ 4x+5y=50 & \cdots\cdots ㉡ \end{cases}$ …… (가)

㉠$\times4-$㉡을 하면

$-y=-2$ $\therefore y=2$

$y=2$를 ㉠에 대입하면

$x+2=12$ $\therefore x=10$ …… (나)

따라서 지윤이와 엄마가 시속 $5\,$km로 걸은 거리는 $10\,$km이다.   …… (다)

채점 기준	비율
(가) 연립방정식 세우기	40 %
(나) 연립방정식 풀기	50 %
(다) 지윤이와 엄마가 시속 $5\,$km로 걸은 거리 구하기	10 %

20 $5x+4y-20=0$에서 $4y=-5x+20$

$\therefore y=-\dfrac{5}{4}x+5$

$y=-\dfrac{5}{4}x+5$에 $y=0$을 대입하면

$0=-\dfrac{5}{4}x+5,\ \dfrac{5}{4}x=5$　　$\therefore\ x=4$　　…… ㈎

$y=-\dfrac{5}{4}x+5$에 $x=0$을 대입하면 $y=5$　　…… ㈏

따라서 일차방정식 $5x+4y-20=0$의 그래프는 오른쪽 그림과 같으므로 구하는 삼각형의 넓이는

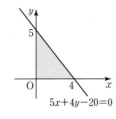

$\dfrac{1}{2}\times4\times5=10$　　…… ㈐

채점 기준	비율
㈎ 일차방정식 $5x+4y-20=0$의 그래프가 x축과 만나는 점의 x좌표 구하기	30 %
㈏ 일차방정식 $5x+4y-20=0$의 그래프가 y축과 만나는 점의 y좌표 구하기	30 %
㈐ 삼각형의 넓이 구하기	40 %

memo

핵심 정리 01 | 미지수가 2개인 일차방정식

(1) 미지수가 2개인 일차방정식

미지수가 2개이고 그 차수가 모두 ❶ [ ] 인 방정식

$$ax + by + c = 0$$
$$(단, a, b, c는 \ 상수, a \neq 0, b \neq 0)$$

[예]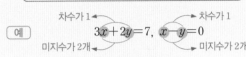
$$3x + 2y = 7, \quad x - y = 0$$
차수가 1, 차수가 1
미지수가 2개, 미지수가 2개

(2) 미지수가 2개인 일차방정식의 해

미지수가 2개인 일차방정식을 ❷ [ ] 이 되게 하는 x, y의 값 또는 그 순서쌍 (x, y)

[예] x, y가 자연수일 때, 일차방정식 $x + y = 4$의 해는

x	1	2	3	4	…
y	3	2	1	0	…

$(1, 3), (2, 2),$ ❸ [ ]

답 ❶ 1 ❷ 참 ❸ $(3, 1)$

핵심 정리 02 | 미지수가 2개인 연립일차방정식

(1) 미지수가 2개인 연립일차방정식

미지수가 2개인 ❶ [ ] 방정식 두 개를 한 쌍으로 묶어 놓은 것

[예] $\begin{cases} 2x + y = 12 \\ 3x + 2y = 20 \end{cases}$ → 일차방정식이 2개

(2) 연립방정식의 해

두 일차방정식을 동시에 만족하는 x, y의 값 또는 그 순서쌍 $(x,$ ❷ [ ] $)$

[예] 연립방정식 $\begin{cases} 2x + y = 12 & \cdots\cdots ㉠ \\ 3x + 2y = 20 & \cdots\cdots ㉡ \end{cases}$ 에서

㉠의 해 : $(1, 10), (2, 8), (3, 6), (4, 4), (5, 2)$
㉡의 해 : $(2, 7), (4, 4), (6, 1)$

두 일차방정식을 동시에 만족하는 해는 $(4, 4)$이다.
즉 연립방정식의 해는 ❸ [ ] 이다.

답 ❶ 일차 ❷ y ❸ $(4, 4)$

핵심 정리 03 | 연립방정식의 풀이-대입법

연립방정식의 두 방정식 중 한 방정식을 다른 방정식에 ❶ [ ] 하여 한 미지수를 없앤 후 해를 구하는 방법

$\begin{cases} 2x + y = 3 & \cdots\cdots ㉠ \\ x - 3y = 5 & \cdots\cdots ㉡ \end{cases}$

[방법 1] ㉠을 ㉡에 대입하는 경우!

㉠을 $y = (x에 \ 대한 \ 식)$으로 나타내면

$y = -2x + 3$
$x - 3(\ ❷\ [\ ]\ ) = 5$ ← ㉡에 대입
$7x = 14 \quad \therefore x = 2$

[방법 2] ㉡을 ㉠에 대입하는 경우!

㉡을 $x = (y에 \ 대한 \ 식)$으로 나타내면

$x = 3y + 5$
$2(\ ❸\ [\ ]\ ) + y = 3$ ← ㉠에 대입
$7y = -7 \quad \therefore y = -1$

답 ❶ 대입 ❷ $-2x + 3$ ❸ $3y + 5$

핵심 정리 04 | 연립방정식의 풀이-가감법

연립방정식의 두 방정식을 변끼리 더하거나 빼서 한 미지수를 없앤 후 해를 구하는 방법

$\begin{cases} 2x + y = 3 & \cdots\cdots ㉠ \\ x - 3y = 5 & \cdots\cdots ㉡ \end{cases}$

[방법 1] y를 없애는 경우!

㉠$\times 3 + ㉡$을 하면

$\begin{array}{r} 6x + 3y = 9 \\ +) \quad x - 3y = 5 \\ \hline 7x \quad\quad = 14 \end{array}$ $\quad \therefore x =$ ❶ [ ]

부호가 다르면 변끼리 더해!

[방법 2] x를 없애는 경우!

㉠$- ㉡\times 2$를 하면

$\begin{array}{r} 2x + \ y = 3 \\ -) \quad 2x - 6y = 10 \\ \hline 7y = -7 \end{array}$ $\quad \therefore y =$ ❷ [ ]

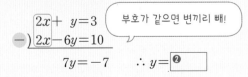
부호가 같으면 변끼리 빼!

답 ❶ 2 ❷ -1

예 1

x, y가 자연수일 때, 연립방정식

$\begin{cases} x+y=6 & \cdots\cdots ㉠ \\ 3x+y=14 & \cdots\cdots ㉡ \end{cases}$ 의 해를 구하시오.

➡ ㉠

x	1	2	3	4	5
y	5	4	3	2	1

└➤ 연립방정식의 해

㉡

x	1	2	3	4
y	11	8	5	2

└➤ 연립방정식의 해

이때 ㉠, ㉡을 동시에 만족하는 해는 **❶**[ ]이므로 연립방정식의 해는 $(4, 2)$이다.

답 ❶ $(4, 2)$

예 1

다음 보기 에서 미지수가 2개인 일차방정식을 고르시오.

보기
㉠ $2x+1=0$ ㉡ $7x-3y=5$
㉢ $x^2+y=-2y+x^2+7$ ㉣ $3x+5y+1$

➡ ㉠ 미지수가 1개인 일차방정식
  ㉢ $3y-7=0$ ➡ 미지수가 1개인 일차방정식
  ㉣ 일차식
  따라서 미지수가 2개인 일차방정식은 **❶**[ ]이다.

예 2

x, y가 자연수일 때, 일차방정식 $x+2y-6=0$의 해를 구하시오.

➡

x	1	2	3	4	5	6	$\cdots$
y	$\frac{5}{2}$	2	$\frac{3}{2}$	1	$\frac{1}{2}$	0	$\cdots$

x, y는 모두 자연수이므로 구하는 해는 $(2, 2)$, $($**❷**[ ]$, 1)$

답 ❶ ㉡ ❷ 4

예 1

연립방정식 $\begin{cases} 3x-4y=5 & \cdots\cdots ㉠ \\ x+4y=7 & \cdots\cdots ㉡ \end{cases}$ 을 푸시오.

➡ ㉠+㉡을 하면
  $4x=12$ ∴ $x=$**❶**[ ]
  $x=3$을 ㉡에 대입하면
  $3+4y=7, 4y=4$ ∴ $y=$**❷**[ ]
  따라서 주어진 연립방정식의 해는 $x=3, y=1$이다.

답 ❶ 3 ❷ 1

예 1

연립방정식 $\begin{cases} x-y=3 & \cdots\cdots ㉠ \\ x=2y-1 & \cdots\cdots ㉡ \end{cases}$ 을 푸시오.

➡ ㉡을 ㉠에 대입하면
  $(2y-1)-y=3$
  $y-1=3$ ∴ $y=4$
  $y=4$를 ㉡에 대입하면
  $x=2\times 4-1=$**❶**[ ]
  따라서 주어진 연립방정식의 해는
  $x=7, y=$**❷**[ ]이다.

답 ❶ 7 ❷ 4

(1) **함수** : 두 변수 x, y에 대하여 x의 값이 하나 정해짐에 따라 y의 값이 하나씩 정해지는 대응 관계가 있을 때, y를 x의 함수라 한다. 이것을 기호로 $y=$ ❶ 와 같이 나타낸다.

[예] 자연수 x보다 작은 홀수의 개수 y ➡ 함수

자연수 x보다 작은 홀수 y ➡ 함수가 아님

(2) **함숫값** : 함수 $y=f(x)$에서 x의 값이 정해지면 그에 따라 정해지는 y의 값, 즉 $f(x)$를 x의 ❷ 이라 한다.

[예] $f(x)=2x+5$에서 $x=3$일 때 함숫값

➡ $f(3)=2\times 3+5=$ ❸

답 ❶ $f(x)$ ❷ 함숫값 ❸ 11

(1) **일차함수** : 함수 $y=f(x)$에서 y가 x에 대한 ❶ , 즉 $y=ax+b(a, b$는 상수, $a\neq 0)$로 나타날 때, y를 x에 대한 ❷ 라 한다.

[예] $y=3x-1, y=5x, y=\dfrac{x}{3}+2$

(2) **일차함수 $y=ax+b$의 그래프**

[예] 일차함수 $y=2x+1$의 그래프

① x의 값이 $-2, -1,$ $0, 1, 2$일 때

② x의 값의 범위가 수 전체일 때 ➡ 직선

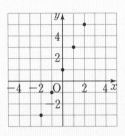 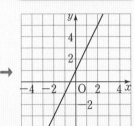

답 ❶ 일차식 ❷ 일차함수

(1) **두 점을 이용하여 일차함수의 그래프 그리기**

일차함수 $y=ax+b$의 그래프 위의 서로 다른 두 점을 구하여 좌표평면 위에 나타낸 후 두 점을 ❶ 으로 연결한다.

(2) **평행이동을 이용하여 일차함수의 그래프 그리기**

① **평행이동** : 한 도형을 일정한 방향으로 일정한 ❷ 만큼 옮기는 것

② **일차함수 $y=ax+b$의 그래프** : 일차함수 $y=ax$의 그래프를 ❸ 축의 방향으로 b만큼 평행이동한 직선이다.

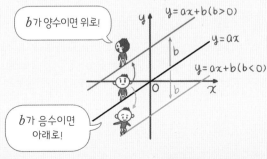

b가 양수이면 위로!

b가 음수이면 아래로!

$y=ax+b(b>0)$

$y=ax$

$y=ax+b(b<0)$

답 ❶ 직선 ❷ 거리 ❸ y

일차함수 $y=ax+b$의 그래프에서

(1) **x절편** : 일차함수의 그래프가 ❶ 축과 만나는 점의 x좌표 ➡ $y=0$일 때 x의 값

(2) **y절편** : 일차함수의 그래프가 ❷ 축과 만나는 점의 y좌표 ➡ $x=0$일 때 y의 값

[예] $y=-\dfrac{4}{3}x+4$의 그래프에서

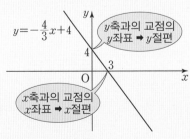

$y=-\dfrac{4}{3}x+4$

y축과의 교점의 y좌표 ➡ y절편

x축과의 교점의 x좌표 ➡ x절편

➡ x절편 : 3, y절편 : ❸

답 ❶ x ❷ y ❸ 4

예 1

다음 보기 에서 일차함수인 것을 모두 고르시오.

보기
㉠ $y=3x-1$ ㉡ $y=\dfrac{1}{x}$
㉢ $y=x^2+3$ ㉣ $y=5x$
㉤ $y=3$ ㉥ $y=\dfrac{x}{3}+2$

→ ㉡ x가 분모에 있으므로 일차함수가 아니다.
㉢ x^2항이 있으므로 일차함수가 아니다.
㉤ x의 계수가 0이므로 일차함수가 아니다.
따라서 일차함수인 것은 ㉠, ㉣, ❶ [ ] 이다.

답 ❶ ㉥

예 1

다음에서 y가 x의 함수인지 아닌지 말하시오.
(1) 한 자루에 700원 하는 연필을 x자루 살 때, 지불하는 금액 y원
(2) 자연수 x의 약수 y
→ (1) x의 값 하나에 y의 값이 하나씩 정해지므로 y는 x의 ❶ [ ] .
(2) x의 값 하나에 y의 값이 하나씩 정해지지 않으므로 y는 x의 함수가 아니다.

예 2

함수 $f(x)=-3x+5$에 대하여 다음을 구하시오.
(1) $f(2)$ (2) $f(-1)$
→ (1) $f(2)=-3\times2+5=-1$
(2) $f(-1)=-3\times($ ❷ [ ] $)+5=8$

답 ❶ 함수이다 ❷ -1

예 1

일차함수 $y=2x+3$의 그래프의 x절편과 y절편을 각각 구하시오.
→ $y=2x+3$에 $y=0$을 대입하면
$0=2x+3$ ∴ $x=-\dfrac{3}{2}$
$y=2x+3$에 $x=0$을 대입하면 $y=3$
따라서 x절편은 $-\dfrac{3}{2}$, y절편은 ❶ [ ] 이다.

예 2

일차함수의 그래프가 오른쪽 그림과 같을 때, 각 그래프의 x절편과 y절편을 각각 구하시오.
→ (1) x절편 : -3,
y절편 : -3
(2) x절편 : ❷ [ ] , y절편 : 4

답 ❶ 3 ❷ -2

예 1

다음 문장을 읽고, A, B에 알맞은 것을 써넣으시오.
(1)
일차함수 $y=2x+5$의 그래프는 일차함수 $y=\boxed{A}x$의 그래프를 y축의 방향으로 $\boxed{B}$만큼 평행이동한 직선이다.

→ $A : 2$, $B :$ ❶ [ ]

(2)
일차함수 $y=-2x$의 그래프를 y축의 방향으로 -3만큼 평행이동한 직선을 나타내는 일차함수의 식은 $y=\boxed{A}$이다.

→ $A :$ ❷ [ ]

답 ❶ 5 ❷ $-2x-3$

일차함수 $y=ax+b(a\neq0)$의 그래프에서

$(기울기)=\dfrac{(y의\ 값의\ 증가량)}{(x의\ 값의\ 증가량)}=$ ❶ ☐ (일정)
$\quad\quad\quad\quad\quad\quad\quad\quad\quad\quad\uparrow_{x의\ 계수}$

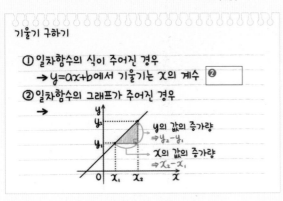

기울기 구하기

① 일차함수의 식이 주어진 경우
  → $y=ax+b$에서 기울기는 x의 계수 ❷ ☐
② 일차함수의 그래프가 주어진 경우
  →

y의 값의 증가량 $\Rightarrow y_2-y_1$
x의 값의 증가량 $\Rightarrow x_2-x_1$

일차함수 $y=ax+b(a\neq0)$의 그래프에서

(1)

$a>0, b>0$	$a>0, b<0$

→ 오른쪽 ❶ ☐ 로 향하는 직선

→ x의 값이 증가할 때, y의 값도 증가한다.

(2)

$a<0, b>0$	$a<0, b<0$

→ 오른쪽 ❷ ☐ 로 향하는 직선

→ x의 값이 증가할 때, y의 값은 ❸ ☐ 한다.

---

(1) 기울기가 같은 두 일차함수의 그래프는 서로 평행 하거나 일치한다.

(2) 서로 평행한 두 일차함수의 그래프의 ❶ ☐ 는 서로 같다.

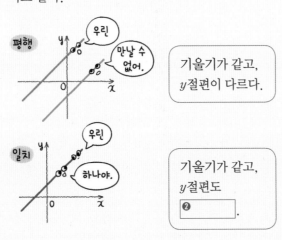

평행 우리 만날 수 없어.

기울기가 같고, y절편이 다르다.

일치 우리 하나야.

기울기가 같고, y절편도 ❷ ☐ .

---

(1) **기울기와 y절편을 알 때**

기울기가 a이고 y절편이 b인 직선을 그래프로 하는 일차함수의 식 구하기 → ❶ ☐

[예] 기울기가 2이고 y절편이 -1일 때

$\quad y=2x-$ ❷ ☐

(2) **기울기와 한 점의 좌표를 알 때**

기울기가 a이고 점 (x_1, y_1)을 지나는 직선을 그래프로 하는 일차함수의 식 구하기

❶ 일차함수의 식을 $y=ax+b$로 놓는다.

❷ $y=ax+b$에 $x=x_1, y=y_1$을 대입하여 b의 값을 구한다.

[예] 기울기가 4이고, 점 $(2, 3)$을 지날 때

$\quad y=4x+b$로 놓고 $x=2, y=3$을 대입하면

$\quad 3=4\times2+b \quad \therefore b=-5$

$\quad \therefore y=4x-$ ❸ ☐

예 1

다음 **보기** 에서 일차함수 $y=-2x+2$의 그래프에 대한 설명으로 옳은 것을 모두 고르시오.

> **보기**
> ㉠ 점 $(1, 0)$을 지난다.
> ㉡ x의 값이 증가하면 y의 값은 감소한다.
> ㉢ 제2사분면을 지나지 않는다.

➡ ㉠ $x=1$, $y=0$을 대입하면

$\quad 0 \boxed{❶} -2 \times 1 + 2$ (참)

㉢ 제1, 2, 4사분면을 지난다.

따라서 옳은 것은 $\boxed{❷}$, ㉡이다.

답 ❶ = ❷ ㉠

예 1

일차함수의 그래프가 오른쪽 그림과 같을 때, 각 그래프의 기울기를 구하시오.

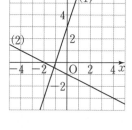

➡ (1) 두 점 $(-1, 0)$, $(0, 3)$을 지나므로

$\quad (기울기) = \dfrac{3-0}{0-(-1)}$
$\quad\quad\quad = 3$

(2) 두 점 $(-2, 0)$, $(0, -1)$을 지나므로

$\quad (기울기) = \dfrac{-1-0}{0-(\boxed{❶})} = -\dfrac{1}{2}$

예 2

일차함수 $y=3x+4$의 그래프에서 x의 값의 증가량이 3일 때, y의 값의 증가량을 구하시오.

➡ $(기울기) = \dfrac{(y의\ 값의\ 증가량)}{3} = 3$

$\quad \therefore (y의\ 값의\ 증가량) = \boxed{❷}$

답 ❶ -2 ❷ 9

예 1

기울기가 -3이고 y절편이 2인 직선을 그래프로 하는 일차함수의 식을 구하시오.

➡ $y = -3x + \boxed{❶}$

예 2

기울기가 -2이고 점 $(1, 5)$를 지나는 직선을 그래프로 하는 일차함수의 식을 구하시오.

➡ ❶ 기울기가 -2이므로 $y = \boxed{❷} x + b$로 놓는다.

❷ $y = -2x + b$에 $x=1$, $y=5$를 대입한다.

$\quad 5 = -2 \times 1 + b \quad \therefore b = \boxed{❸}$

❸ 구하는 일차함수의 식은 $y = -2x + 7$

답 ❶ 2 ❷ -2 ❸ 7

예 1

아래 **보기** 의 일차함수의 그래프에 대하여 다음 물음에 답하시오.

> **보기**
> ㉠ $y = -3x - 3$ ㉡ $y = 3x + 1$
> ㉢ $y = 3x - 5$ ㉣ $y = -5x - 2$
> ㉤ $y = -\dfrac{2}{3}x + 4$ ㉥ $y = -3(1+x)$

(1) 그래프가 서로 평행한 것끼리 짝을 지으시오.

➡ ㉡과 $\boxed{❶}$

(2) 그래프가 일치하는 것끼리 짝을 지으시오.

➡ ㉠과 $\boxed{❷}$

> 기울기가 같다고 무조건 평행한 건 아니야. y절편이 서로 다른지를 꼭 확인해야 해.

답 ❶ ㉢ ❷ ㉥

(3) **두 점의 좌표를 알 때**

두 점 (x_1, y_1), (x_2, y_2)를 지나는 직선을 그래프로 하는 일차함수의 식 구하기

❶ 기울기 a를 구한다.

$$\rightarrow a = \frac{(y의\ 값의\ 증가량)}{(\boxed{❶}의\ 값의\ 증가량)} = \frac{y_2 - y_1}{x_2 - x_1}$$

❷ $y = ax + b$에 $x = x_1$, $y = y_1$을 대입하여 b의 값을 구한다.

〔예〕 두 점 $(1, 1)$, $(3, 9)$를 지날 때

(기울기)$= \frac{9-1}{3-1} = 4$이므로 $y = 4x + b$

$y = 4x + b$에 $x = 1$, $y = 1$을 대입하면

$1 = 4 \times 1 + b$ ∴ $b = -3$ └▶ 또는 $x = 3$, $y = 9$를 대입

∴ $\boxed{❷}$

답 ❶ x ❷ $y = 4x - 3$

일차방정식 $ax + by + c = 0$ (a, b, c는 상수, $a \neq 0$, $b \neq 0$)

의 그래프는 일차함수 $y = -\dfrac{a}{b}x - \boxed{❶}$ 의 그래프와 같다.

〔예〕 $2x + y - 4 = 0$에서 $y = \boxed{❷}$

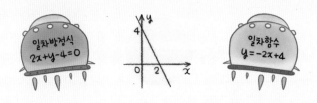

답 ❶ $\dfrac{c}{b}$ ❷ $-2x + 4$

(1) **방정식 $x = p$의 그래프**

점 $(p, 0)$을 지나고 $\boxed{❶}$ 축에 평행한 직선이다.

(2) **방정식 $y = q$의 그래프**

점 $(0, q)$를 지나고 $\boxed{❷}$ 축에 평행한 직선이다.

〔참고〕 $x = 0$의 그래프는 y축이고, $y = 0$의 그래프는 $\boxed{❸}$ 축이다.

(3) **직선의 방정식** : 일차방정식 $ax + by + c = 0$ (a, b, c는 상수, $a \neq 0$ 또는 $b \neq 0$)을 직선의 방정식이라 한다.

답 ❶ y ❷ x ❸ x

연립방정식

$$\begin{cases} ax + by + c = 0 & \cdots\cdots ㉠ \\ a'x + b'y + c' = 0 & \cdots\cdots ㉡ \end{cases}$$

의 해는 두 일차함수의 그래프의 교점의 좌표와 같다. 즉

$(m, \boxed{❶})$

두 그래프의 위치 관계	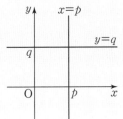 한 점에서 만난다.	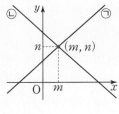 평행하다.	일치한다.
두 그래프의 교점의 개수	$\boxed{❷}$	없다.	무수히 많다.
연립방정식의 해의 개수	한 쌍의 해를 갖는다.	해가 $\boxed{❸}$	해가 무수히 많다.

답 ❶ n ❷ 1 ❸ 없다

예 1

일차방정식 $2x-y+3=0$의 그래프의 x절편, y절편, 기울기를 각각 구하고, 그래프를 그리시오.

→ $2x-y+3=0$에서 $y=2x+3$

(기울기)=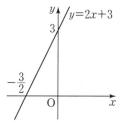

(x절편)= $-\dfrac{3}{2}$

(y절편)= ❷

답 ❶ 2 ❷ 3

예 1

두 점 $(-2, 6)$, $(4, 3)$을 지나는 직선을 그래프로 하는 일차함수의 식을 구하시오.

→ 일차함수의 식을 $y=ax+b$라 하면

❶ $a=\dfrac{3-6}{4-(-2)}=-\dfrac{1}{2}$이므로 $y=-\dfrac{1}{2}x+b$

❷ $y=-\dfrac{1}{2}x+b$에 $x=4$, $y=3$을 대입하면

$3=-\dfrac{1}{2}\times 4+b$, $3=-2+b$　　∴ $b=$ ❶

❸ 구하는 일차함수의 식은 $y=$ ❷ $x+5$

답 ❶ 5 ❷ $-\dfrac{1}{2}$

예 1

오른쪽 그림은 연립방정식 $\begin{cases} 3x-y=-1 \\ x+2y=-5 \end{cases}$를 풀기 위해 두 일차방정식의 그래프를 그린 것이다. 이 연립방정식의 해를 구하시오.

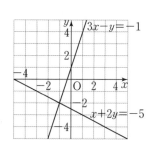

→ 두 그래프의 ❶ 의 좌표가 연립방정식의 해 이므로 $(-1, $ ❷ $)$

답 ❶ 교점 ❷ -2

예 1

다음 조건을 만족하는 직선의 방정식을 구하시오.

(1) 점 $(0, 2)$를 지나고 x축에 평행한 직선

(2) 점 $(1, -5)$를 지나고 x축에 수직인 직선

→

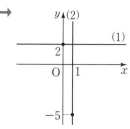

(1) $y=2$　(2) ❶

답 ❶ $x=1$